デザインのデザイン

DESIGN OF DESIGN

原 研哉

KENYA HARA

岩波書店

まえがき

デザインを言葉にすることはもうひとつのデザインである。本書を書きながらそれに気づいた。

何かを分かるということは、何かについて定義できたり記述できたりすることではない。むしろ知っていたはずのものを未知なるものとして、そのリアリティにおののいてみることが、何かをもう少し深く認識することに繋がる。たとえば、ここにコップがひとつあるとしよう。あなたはこのコップについて分かっているかもしれない。しかしひとたび「コップをデザインしてください」と言われたらどうだろう。デザインすべき対象としてコップがあなたに示されたとたん、どんなコップにしようかと、あなたはコップについて少し分からなくなる。さらにコップから皿まで、微妙に深さの異なるガラスの容れ物が何十もあなたの目の前に一列に並べられる。グラデーションをなすその容器の中で、どこからがコップでどこからが皿であるか、その境界線を示すように言われたらどうだろうか。様々な深さの異なる容器の前であなたはとまどうだろう。こうしてあなたはコップについてまた少し分からなくなる。しかしコップについて分からなくなったあなたは、以前よりコップに対する認識が後退したわけではない。むしろその逆である。何も意識しないでそれをただコップと呼んでいたときよりも、いっそう注意深くそれについて考えるようになった。よりリアルにコップを感じ取ることができるようになった。

机の上で軽くほおづえをつくだけで世界は違って見える。ものの見方や感じ方は無数にあるのだ。その無数の見方や感じ方を日常のものやコミュニケーションに意図的に振り向けていくことがデザインである。

本書を読んでデザインというものが少し分からなくなったとしても、それは以前よりもデザインに対する認識が後退したわけではない。それはデザインの世界の奥行きに一歩深く入り込んだ証拠なのである。

まえがき

著者自装

第一章　デザインとは何か

悲鳴に耳を澄ます

「デザイン」とは一体何なのか。これは自身の職能に対する基本的な問いであり、この問いのどこかに答えようとして僕はデザイナーとしての日々を過ごしている。二一世紀を迎えた現在、テクノロジーの進展によって、世界は大きな変革の渦中にあり、ものづくりやコミュニケーションにおける価値観が揺らいでいる。テクノロジーが世界を新たな構造に組み換えようとするとき、それまでの生活環境に蓄積されていた美的な価値は往々にして犠牲になる。世界は技術と経済をたずさえて強引に先へ進もうとし、生活の中の美意識は常にその変化の激しさにたえかねて悲鳴をあげるのだ。そういう状況の中では、時代が進もうとするその先へまなざしを向けるのではなく、むしろその悲鳴に耳を澄ますことや、その変化の中でかき消されそうになる繊細な価値に目を向けることの方が重要なのではないか。最近ではそう感じられることが多く、その思いは日々強くなっている。

時代を前へ前へと進めることが必ずしも進歩ではない。僕らは未来と過去の狭間に立っている。創造的なものごとの端緒は社会全体が見つめているその視線の先ではなくて、むしろ社会を背後から見通すような視線の延長に発見できるのではないか。先に未来はあるが、背後にも膨大な歴史が創造の資源として蓄積されている。両者を環流する発想のダイナミズムをクリエイティブと呼ぶのだろう。

デザインとは、ものづくりやコミュニケーションを通して自分たちの生きる世界をいきいきと認識することであり、優れた認識や発見は、生きて生活を営む人間としての喜びや誇りをもたらしてくれるはずだ。この拙著で紹介するいくつかのデザイン・プロジェクトはそういう思索に自分なりに手を伸ばす試みである。自分自身の経験を語ることは、おそらくは美しいデザイン論を語ることには繋がらないかもしれないが、行為としてのデザインを言語化することも、社会と向き合うデザイナーの営みのひとつとして意識したい。

さて、これからいくつかのデザインの物語をお聞かせしようと思うが、その前に少しだけ、デザインの概念の発生から今日に至るまでの流れをいくつかのエポックを通して反芻しておきたい。自分自身の生活とデザインとを見通す、いまひとつのパースペクティブを歴史の流れの中に確認しておきたいからである。歴史を精密に辿るつもりはもとよりないが、クロッキーのように勇気を振るって大掴みにそれを描いてみよう。

デザインの発生

まずはデザインという概念の発生に立ち戻ってみよう。デザインの発生は、美術史家ニコラス・ペブスナーがその著書『モダンデザインの展開』で紹介しているように、社会思想家のジョン・ラスキンや、同じく思想家であり芸術運動家であったウイリアム・モリスの思想がその源流と考えられている。その源流を辿ると一五〇年ほど前に遡る。

一九世紀の半ば、イギリスは産業革命によってもたらされた機械生産で活気づいていた。しかしながら初期の機械製品は、王朝装飾のなごりを残す家具調度のたぐいを「不器用な手」である生産機械が模するものであり、あまり胸のすくような造形物ではなかった。一八五一年のロンドン万博の資料を散見するとその様子が想像できる。手仕事が長い時間をかけて磨きぬいてきた果ての「形」が機械によって浅薄に解釈され、ねじ曲げられ、異常な速度で量産されていく。そんな状況を目の前にしたとき、自分たちの生活や文化に愛着を持つ人々は、何かを失ってしまう危機感と美意識の痛みを感じたようである。粗雑な機械製品はヨーロッパのデリケートな伝統文化に抵抗なく受け入れられるものではなかった。結果としてそれは、手仕事が育んできた文化やその背後にある感受性をむしろ顕在化させることになる。ものの周辺に息づいている繊細な感受性を踏みつけにして前に進もうとする機械生産に「がまんならぬ！」と鼻息も荒く異議を唱えた代表者がラスキンとモリスである。彼らの活動は乱暴で性急な時代変革に対する警鐘でありブーイングであった。つまり生活環境を激変させる産業のメカニズムの中に潜む鈍感さや不成熟に対する美的な感受性の反発、これがまさに「デザイン」という思想、あるいは考え方の発端となったのである。

ところが大量生産、大量消費へ向かって加速し続ける機械生産は後戻りができない。いくばくかの美意識と知性がそれに反論を唱えても、産業革命によって前に進みはじめた生産と消費の爆発は決して押しとどめられるものではなかった。ジョン・ラスキンの著作や講演、そしてウイリアム・モリスの芸術・デザイン運動は、機械生産による弊害を厳しく批判し、職人の技術を擁護し復興させようという反近代への傾斜の強い主張でもあったために結果として時流に受け入れられず、社会の変革を押しとどめる力にはなり得なかった。しかしながら、その根底にあるセンス、つまりものづくりと生活との関係の中に喜びを生み出す源泉が存在するという着眼あるいは感性は、デザインという思想の源流として、後のデザイン運動家たちに支持され、やがては社会に深い影響を与えていくことになる。

僕たちはもちろん、この時代をじかに経験することはできないが、その片鱗は保存されている資料に見ることができる。ウイリアム・モリスの提唱したアーツ・アンド・クラフツ運動の一環である書籍デザイン（ケルムスコット・プレス）や壁紙のデザインなど、そのメッセージを鮮烈に伝える豊富な資料がある。それらを散見するにつけ、明治時代の偉人の気骨にじかに触れるようなおののきと畏怖を僕は感じる。理屈ではなく具体的な制作物を通して、不器用な機械生産によるふぬけた造形物にアンチテーゼを示そうとした、その意気軒高ぶりは、今日のデザイナーの感覚をなおも震え上がらせるほどに熾烈であり、気圧されるほどに美しい。なんだか叱られたような気分にすらなる。その激しい気概が「デザイン」という概念に息を吹き込んだに違いない。一方、機械生産による品質の悪化というネガティブな社会状況を背景に持つことでむしろあらわになったその思想であるが、それはひとりラスキンやモリスの生み出した思想と断じることもできない。おそらくは市民社会の成熟とともに、芸術とは異なる感受性、すなわち「最適なものや環境を生み出す喜びやそれを生活の中に用いる喜び」といったものが地下水脈のように一九世紀半ばの市民社会の中にこんこんと貯えられてきていたはずである。そういう意識が、機械生産による粗雑な日用品の発生をきっかけとして社会の表面に噴出したのである。ラスキンやモリスのムーブメントはその象徴である。

いずれにしても機械生産の荒ぶる展開によって繊細な生活の美意識が痛みを負った。それが引き金となって、デザインという考え方・感じ方が社会の中に現れ出てきたのである。今日、情報技術の進歩によって生活環境に新たな変化が生じている状況下で、このデザイン誕生の経緯やムーブメントはもう一度注目される必要がある。デザインはラスキンやモリスの時代を辿りなおすように、新たな時代に発生した痛みとともに、その思想あるいは感性のルーツを見つめなおす時期に来ているのではないだろうか。

デザインの統合

もうひとつ「デザイン」という概念のすぐ脇に鎮座するエポックとして僕たちデザイナーの頭の中に大きな位置を占めてきた出来事がある。バウハウスの活動がそれである。バウハウスは一九一九年にドイツのワイマールに創設された造形教育機関であり、運動であった。一九三三年にナチスの弾圧により消滅するまで、その活動期間はわずか一四年。最盛期でもわずか十数人の教師と、二〇〇名足らずの生徒しか在籍しなかった小さな学校である。しかしここで「デザイン」という概念ははっきりとした方向性を与えられた。ここでは既に、機械生産はポジティブに受け入れられていた。一方、二〇世紀の初頭に起こった様々な芸術運動が掘り起こした様々な造形概念も、ここでもう一度整理されたと考えていいだろう。

ラスキンやモリスからバウハウスまでの間には、めくるめく新芸術運動の嵐が世界を席巻していた。キュビズム、アール・ヌーボー、セセッション、未来派、ダダイズム、デ・スティル、構成主義、絶対主義、モデルニスモなどなど、国や地域あるいはイデオロギーによって、呼び名や現れ方は異なるが、一言でいうと過去の形式に決別するために、それらを一度徹底して解体していくという過激で熱心な試行錯誤がヨーロッパのあらゆる地域、芸術領域で起こったのである。それまでの装飾芸術の歴史の中で蓄積されてきたあらゆる造形ボキャブラリー、すなわち、装飾の様式や職人的技巧、そしてお高くとまって凝り固まっていた貴族的な趣味性などはすべてこの解体作業から逃れることはできなかった。その解体作業の結果、造形や芸術の諸領域はひととき「極めて滋養に満ちた瓦礫の山」と化したと考えられる。

この滋養に満ちた瓦礫の山をさらなる透徹した思想とエネルギーで検証・分解し、強大な思考のすり鉢で粉々になるまですりつぶし、ふるいにかけて整理整頓したのがバウハウスである。造形に関わる全ての要素はここで一度、感覚的・思索的に検証され、ゼロ度の地点へと還元されていった。そして、これ以上シンプルにできない要素として措定されたものが、色彩、形態、テクスチャー、素材、リズム、空間、運動、点、線、面……などといった、造形の基本的なエレメントである。それらのパーツを手術台のようなところにきれいに並べて、さあ、ここから新時代の造形をはじめよう、と高らかに宣言し、新しい造形運動へと踏み出していくのがバウハウスなのである。

もちろん、こんなふうに簡単な比喩でバウハウスを総括するのは乱暴であることは承知している。バウハウスは多くの人々の「活動の束」としてあり、単一な思想では括れない側面を持っている。諸芸術を統合へ向かわせる情熱を持ちバウハウスを構想したワルター・グロピウスや、神秘主義的な思想傾向を持つヨハネス・イッテン、精密な造形理論でバウハウスの活動に明確な指針をもたらしたハンネス・マイヤー、還元されたエレメントを基本に新時代の造形を強烈に展開したモホリ・ナギ、造形のプロセスを「生」の問題、つまり生命のあるものが秩序（形）を生み出していく力の原像を探究したパウル・クレーやカンディンスキー、「バウハウス舞台」を中心に非日常のモダニズムを展開したオスカー・シュレンマーなどなど、見れば見るほど、多様な個性のせめぎあいがそこに発見できる。そうした多彩な才能が寄り集まって活動した結果がバウハウスであり、もしもこれを細かく微視的に探索するならば、無限の思索をそこから引き出せるに違いない。ただ、その活動の総体を、遠く二一世紀という視座から遠望すると、輝く星々の集まりは渦巻く星雲に見えるはずである。歴史は時に目を細めて眺めないと、その本質を見失うことがあるが、ここではバウハウスを遠くから見る銀河のように眺めて、その姿を大掴みに把握して話をすすめよう。

つまり、モダニズムという枠組みの中で、デザインという概念が、バウハウスを契機として非常に純粋な形で成就したのである。

二〇世紀後半のデザイン

ジョン・ラスキンやウイリアム・モリスが種子を育み、二〇世紀初頭の芸術運動が土壌を耕し、結果としてドイツの地にバウハウスという形でデザインは簡潔な双葉をひらいた。デザインが提示した考え方は実に広くのびやかな世界を含み、人間がその生活の質をプロダクツやコミュニケーションを通して認識していく限りにおいて、様々な文化の局面でそれは豊かな枝葉を伸展させてきた。

ところが、デザインが開花していくはずの二〇世紀後半、世界には経済の力によって強力なドライブが加えられる。そのおかげで、デザインは経済に強力に牽引されていくことになる。元来、ラスキンやモリスにしろ、バウハウスにしろ、デザイン思想の背景には、少なからず社会主義的な色彩があった。ラスキンやモリスはものづくりが機械生産と直結した経済に牛耳られることを毛嫌いしていたし、バウハウスの誕生はワイマールの社会民主主義政府の手によって行われたわけで、いわゆる社会民主主義的風潮がバウハウス的思想を助長したとも考えられる。要するに、デザインの概念は少なからず理想主義的な社会倫理を前提として考えられてきた経緯があり、それは純粋であるほどに経済原理の強力な磁場の中ではその理想を貫く力が弱かった。

経済の原理は明白である。近代社会の生活者を消費へと向かわせるべく、次々と新しい製品を生み出し、また、それを欲望の対象として流通させるために、メディアは様々な発展をとげ、広告コミュニケーションもしたたかに進化した。経済発展の流れにデザインは見事に組み込まれていくのである。

規格・大量生産

こうした状況を分かりやすくイメージするために、少し具体的にその状況を振り返ってみよう。まず、日本における戦後のプロダクトデザインの進展はどうだったか。欧米を視察した松下幸之助が、日本の空港に降り立つやいなや「これからはデザインの時代や」と語ったそうだが、これはもちろん、理想主義的なデザインの源流を汲むものではない。高度成長への意欲ではちきれそうになった戦後日本を担う企業家の目に映ったデザインの使い勝手に対する率直な言葉である。充足した生活は世界と経済力において伍していくことでこそ実現できる。当時の日本社会はそういうヴィジョンを信じていた。眼前にはめくるめく成長を明日にひかえた産業があり、その成長を担う勤勉な労働者がいた。日本のプロダクトデザインが高度成長とともに産業の中に溶け込んでゆき、規格大量生産の品質を支える柱として成長してゆく条件が揃っていたのである。

一方、モダニズムの影響力の下で、日本は独自のデザイン思想を常に模索していた。欧米のモダニズムが日本文化という胃袋に放り込まれる度にしゃっくりのように発生する「日本的なものとは？」という問いは、日本の近代デザイン史の中に頻繁に顔を出す。西洋的なものや思想に常に日本のオリジナルを対置させようとする性向は、明治維新以来の日本の文化的なトラウマである。そんな状況の中で、民衆の生活にもとづいて発生した日常工芸に日本のプロダクトデザインの原像を見出す「民芸」の運動はひとつの思想としての簡潔さを持ち、西洋のモダニズムに対置できる独特な美学を持っていた。すなわち短時間の「計画」ではなく、生活という「生きた時間の堆積」がものの形を必然的に生み出し磨きあげるという発想である。伝統からフォルムを汲み上げてくるということは、考え方としては説得力のあるものであったと思うが、戦後のアメリカ文化の流入で混乱をきたす社会状況ではそれすらも正確な理解を得ていたとは言いがたい。デザインは生活から生まれてくる感受性である。したがって戦後の日本の生活文化がそういう感受性を育むためには、欧米の生活文化を吸収し自家薬籠中のものにしていく高度な生活意識の成熟が先んじて必要であり、エネルギッシュに経済を加速していくことに熱中していた戦後日本の経済文化の中でそれは容易なことではなかった。

他方において、戦後の日本のデザイン界のリーダーたちは、モダニズムを自らの感覚を通して日本の生活文化に浸潤させるために、時には個人の活動を通して、あるときは職能組織を動かしながら旺盛な活動を展開した。オリンピックや万博はそういう運動にふさわしいモチベーションをもたらすものとして活用された。デザイナーは文化の牽引車として、展覧会や著作を通して社会をモダニズムへと覚醒させていく役割を果たした。結果として日本のデザインはある部分、ある層においては極めて高い水準を生み出すことになったが、これは巨視的に見る日本の産業が達成したデザインの品質に必ずしも直結していない。ここに日本のデザインの特殊な二面性がある。

目を細めて眺める日本の産業デザインは生活文化の方ではなく、明らかに経済の方向を向いていた。戦争の壊滅的な打撃から立ち直り、国力の復興に総力をあげようとしていた日本の目標は経済の興隆であり、生活意識の成熟ではなかった。味の善し悪しではなくお腹一杯食べられること。文化ではなくまず産業、という日本の価値尺度は二〇世紀の後半全てにわたって隠然たる力を発揮しており、それは今日においても通奏低音のように社会の基層に低く響いている。

今日の日本のプロダクトデザインを俯瞰すると、一部の例外を除いて、その大半は規格・大量生産を前提とした巨大メーカー的な視点をその背景に持っている。戦後日本の産業が世界の製品工場と化したことが、産業デザインと文化デザインを分断してしまった。入り口はふたつでも中は繋がっているということが往々にしてあるが、この場合、不思議なことに中でも繋がっていない。産業デザインの中ではデザイナーの個性は抑制され、ものを計画、生産・販売する企業の意志や戦略が正確に反映されている。それがプラスに働いている場合は、素材やテクノロジーを同時代的な生活の希求に合せて上手に収穫した合理的なデザインとなり、マイナスに働いたときには市場に迎合した厚顔なデザインとなる。「ジャパン・アズ・ナンバーワン」と評された日本企業の組織力は、デザイナーを企業の内側に置き、エンジニアリングとデザインの緊密な連繋を実現させ、規格・大量生産を綿密に管理することで達成されるハイ・スタンダードな製品の品質を世界に示したのである。ひととき世界の信頼を集めて成功をおさめた日本企業の製品デザインにはこうした背景がある。

スタイルチェンジとアイデンティティ

アメリカに目を転じてみるとどうか。第二次大戦の戦渦を逃れてヨーロッパからアメリカへと移住したモダンデザインの先駆者たちによってその思想の一部はアメリカへと転移した。ワルター・グロピウスはハーバード大学へ、ミース・ファン・デル・ローエはイリノイ工科大学へ招聘され、モホリ・ナギはシカゴにニュー・バウハウスを設立して、それぞれのデザイン思想をそこに継承している。建築やプロダクトデザインの領域でアメリカが躍進していく背景にはこうしたヨーロッパ的・バウハウス的な思想の流入がある。

しかしながら、社会民主主義的なバウハウス思想とは異なり、アメリカのデザインは経済の発展を支えるマーケティングの一環として、よりヴィヴィッドな色彩を放ってきた。つまり、市場分析や経営戦略と緊密に結びついた非常にプラグマティックな形で進化したのだ。アメリカで一九三〇年代に起こった「流線形」の流行はデザインによるプロダクト・フォームの差異化の発端であり、それ以降は産業技術の進化と相まって猛烈な速度で表層のデザインの差異化がはじまり、それは今日でも世界中に影響を及ぼしながら発展を続けている。世界経済をアメリカがリードする状況の中では、こうした現実的なデザイン観がむしろヨーロッパや日本にも影響を及ぼしているとも言える。アメリカ経済がデザインに与えた「思想」は端的に言うと「経営資源としてのデザインの運用」である。消費への欲望は「新奇性」によって鼓舞されると見抜いた企業家たちは「スタイルチェンジ」という役回りでデザインを重用した。

新しいスタイルの登場は、既知の製品を旧式なものへと老化、変容させる。「今日あるものを明日古く見せる」という戦略は消費を動機づける目的で次々と計画され、デザインはその役割に応えて、次々と製品の外観を変転させていった。以降、世界のあらゆる場所で、クルマ、ＡＶ機器、照明器具、家具、生活雑貨、パッケージなど、あらゆるプロダクツはスタイルチェンジを通してその存在を主張し、消費者の欲望をゆさぶっていくのである。

一方で、ヨーロッパ人たちが市場における価値の保存法としてあみ出してきた「ブランド」という概念が有効であることが分かると、これを上手にハンドリングする技術としてもデザインを機能させようとした。経営資源といえば「人材」「設備」「資金」のことを指していたのが、近年ではこれに「情報」が加わる。一般に広く知れ渡った「企業イメージ」や「商標」などもこの「情報」には含まれている。そういう企業経営に寄与する戦略的な解釈のもとにＣＩ（コーポレート・アイデンティフィケーション）やブランド・マネージメントの手法を巧みに進化させたのもアメリカである。

思想とブランド

ヨーロッパのデザインはどうだったか。ヨーロッパではふたつの敗戦国がデザインを引っ張っていく。ドイツとイタリアである。バウハウスの閉鎖ののち、教授たちは主にアメリカに去ったが、バウハウスを経由した人々によってその思想は継承され深化していく。

ドイツではウルム造形大学がその役割を担った。学長マックス・ビルによって「外界環境形成」という概念が打ち出され、デザインはここで環境へ向かう思想としてのパースペクティブを与えられていく。ウルム造形大学の理念は、そのカリキュラムに明確に読みとれる。建築、環境、プロダクト・フォーム、ヴィジュアル・コミュニケーション、インフォメーションという領域がそこに示されていたが、これは専門領域の特定というより、それらを総合するものとしてデザインが位置づけられていたようだ。カリキュラムには、色彩や形態を扱う知識や訓練のみならず、哲学、情報美学、人間工学、数学、サイバネティックス、そして諸科学の基礎などが網羅されている。これはもはや工芸や美術のジャンルとしての教育構想ではなく、諸科学との横断性を前提とした「総合的な人間学」あるいは「総合造形科学」とでも評すべき内容である。それは環境全体に影響を与える「デザイナー」という存在の背景にどのような思想や知識体系を置くべきかを熟考した痕跡であり、バウハウスからウルムへというデザイン概念の深化を伝えている。

ひとときの「ブラウン」に代表されるドイツの精密なプロダクツは非常に高いレベルの人間研究の成果でもあり、その背景にはこのようなデザイン思想の深化があった。

もうひとつの敗戦国、イタリアはどうだったか。ラテン的な明るさで近代デザインを発展させたイタリアのデザインは思索的なドイツとは対照的である。「ミケランジェロやダヴィンチを子供の頃から身近に感じて育った」とエンツォ・マーリが語るイタリアン・デザインの世界は自由で伸びやかな独創性に手をのばす。その闊達なダイナミズムはデザインのもうひとつの魅力を照らし出している。また、大量生産ではなく比較的小規模の工業生産の中で、アイデアや造形を高い精度で実現すること、具体的には職人の手仕事を工程の一部に取り込むことで、イタリアのデザインは独創性と高度な品質をともに実現することとなり、次第に名声を博していった。

ヨーロッパのデザインをつぶさに眺めると、そこには個々のデザイナーの独立性とともに、そこはかとないクラフトマンシップのなごりを感じる。それはおそらく、職人的なものづくりの系譜がデザイナーの職能意識の中に引き継がれているせいであろう。バウハウスですら「教授」と「職人の親方」がペアで授業を受け持っていた経緯があり、修練を積んだ職人の手仕事がヨーロッパのものづくりの根底には潜んでいる。これがプラスに働いたときには自由闊達な個人の独創性が際立つデザインになるが、マイナスに働いた場合には、個性の存在がやや尊大に感じられるデザインになる。

こうした個人の才能と職人的品質を合せ持つ優秀な製品は、市場の中での優位性すなわち「定評」を獲得するようになり、それは特別な「価値」として保存されていく。すなわち「ブランド」というフォースに対する社会認知が促されていく。製品の品質や素性を保証する「商標」はいつしか世界市場に対しても力を持つようになり、それは方法論として練り上げられ成長していった。そこにはファッションという嗜好性の高い領域からの影響も色濃く投影されているわけだが、「オリベッティ」や「アレッシィ」といった工業製品も「ブランド」を自覚している。いずれにしても、デザインの潜在力はここでも大きな力を発揮することになる。この発想は、やがてアメリカでもマーケティングの一環として熱心に研究され、製品のデザイン、企業イメージの管理、そして広告戦略などのデザインとして力を発揮するようになることは先に述べた。

さて、ヨーロッパのデザインについて書きはじめると枚挙にいとまがない。北欧や、フランス、イギリス、オランダなど魅力的なデザインの話は尽きないが、これらは別の機会にゆずるとして話を先に進めよう。日本、アメリカ、ヨーロッパと、それぞれに生い立ちや家柄、そして経済の思春期にどこから影響を受けたかなどによって、それぞれの社会の中でデザインが機能する姿や形は異なる。しかしながら、経済力が支配を強める二〇世紀後半の世界の中で、いずれの場合も「経済」を主な動力源として進展していくのである。デザインは「品質」「新奇性」「アイデンティティ」を提供するサービスとしてますます多くの働きが期待されるようになり、それに応えて働きはじめたのである。

このような社会の中では、生活者は情報や製品の新しさとともにあることを好み、「時代遅れ」になることを恐れるようになっていった。

ポストモダンという諧謔

パーソナルコンピュータの爆発的な普及を境にして、時代はさらに新しい経済文化の揺籃期へと向かうことになるが、その夜明け前に相当するひとときき、デザインは不思議な迷路へと迷い込んだ。

八〇年代、デザインの世界には「ポストモダン」という言葉が生まれ、建築やインテリア、そしてプロダクトデザインを中心とした一種の流行現象が起こった。イタリアで沸き起こったそれは瞬く間に先進世界に広がっていった。これはその名の示すとおり、思想的には新たな時代とモダニズムの相克であると考えられていたようであるが、二一世紀の今日、少し大きなパースペクティブからそれを振り返るならば、ポストモダンはデザイン史の転換点にはなり得ていない。それはモダニズムによって喚起されたデザインの思想がある世代から次の世代へと受け渡されていく過程に起こったひとときの騒乱であり、注意深く見るならば、それはモダニズムを担ってきたひとつのデザイナー世代の「老い」を象徴する出来事にも見える。

造形的な傾向から言えば、それは明らかに仕組まれた小さな記号体系であり、モードのようなものであった。古いモードを身にまとった人々の写真がしばしば笑いを誘うのは、流行という架空の申し合わせに社会全体がつきあっているという奇妙さのせいである。二一世紀から眺めたポストモダンも同じような笑いを誘う。それは流線形のリバイバルのようにすら見える。しかしながら、その運動を先導したデザイナーが、モダニズムの潮流の中でオリベッティ社のプロダクツやＣＩプロジェクトを代表とする極めて優れた実績を残しているエットーレ・ソットサスのようなデザイナーであったという点は注目に値する。これが流線形ブームと異なる点は、デザイナー自身がその造形性に溺れてはおらず、モダニズムの可能性と限界を自身の経験の中で見切ったデザイナーが、確信犯的に架空の記号体系をつくってデザインを遊んで見せたというところにある。また、一方でデザインを受け入れる生活者の側にも、そうしたデザインの虚構性を承知の上で受け入れていくようなある種の成熟や「すれ」が発生している点も見逃せない。デザインを遊んでみせるデザイナーとそれを承知の上で引き受ける生活者の出現。これが一九八〇年代に発生したデザインの新たな状況である。

しかしこれはデザインにおける「ひとつの世代の老化」を象徴する現象ではなかったかと僕は思うのだ。なぜならば、これはモダニズムにつきあい疲れたデザイナーと情報にすればはじめた生活者が演出した「諧謔」の世界であり、もはや無垢な情熱をモダニズムに注ぐことに倦んだ世代の「枯れた達観の境地」をそこに感じるからである。

つまりポストモダンの遊戯性に満ちた造形はおじいちゃんデザイナーたちの洗練された冗談であり、愛すべきデザイン放蕩のエポックだった。世界はこれをただ笑って受けとめるべきだったが「経済」だけは生真面目にそれを市場の活性に利用しようとして必要以上にそれを世界に蔓延させ、若いデザイナーもひとときこれに翻弄された。さらに論評もこれをモダニズムと新たな時代の相克と評した。そこがポストモダンの迷走性であり、困惑であり、悲哀なのである。

この出来事から僕らが気づくべきことは、モダニズムはまだ終わっていないという事実である。その誕生当初の衝撃力は失っても、モダニズムは流行やモードにとって代わられる存在ではない。ある世代のデザイナーたちがひとときその探究に疲れ、パロディのようにそれを笑ってみせるひと幕があったとしても、生活の質をものづくりを通して認識していこうとする知性がモダニズムを進化・成長させていく本質的なエネルギーであるとするならば、その思想に触れるさらに若い世代がデザイナーとして誕生し、本流に倦んだ古い世代の仕事を乗り越えて、新しいモダンを走らせてゆくことになるのである。

コンピュータ・テクノロジーとデザイン

さて、現在のデザインの状況はどうだろうか。今日、社会は情報テクノロジーの著しい進歩によって大きな動乱へと踏み出している。コンピュータがもたらすはずの人間の能力の飛躍は、想像すればするほどに劇的であり、そうした未来に潜在する環境の変化に対して世界は実に過敏に反応している。ロケットはまだ月にしか到達していないにもかかわらず、世界は銀河間移動のための準備や心配に忙しい。

既に東西の冷戦は終結し、世界は経済力を暗黙の基準に動き出して久しい。経済力が価値観の大勢を占める世界においては、想定される環境の変化に素早く反応・対処することが未来の経済力を担保する最良の方策であると人々は考えている。既に一度、歴史の中で経験している産業革命に匹敵するパラダイムの変革を確信して、人々はバスに乗り遅れることなく新たな場所へ移動しようと「コンピュータ以前の教育」によってできている自らの頭脳に鞭を入れ続けている。

コンピュータ・テクノロジーが生み出すはずの富を、人よりも先んじて手にしようという動機で走りはじめた世界は、それがもたらす本来の豊かさや恵みをゆっくりと味わう暇もなく、可能性に対して身を乗り出し、前につんのめりながらかろうじて転ばぬように次の一歩を踏み出すような、実に不安定でストレスの多い状況へと進んでいる。

どうやら人々は技術の進歩は批判すべきものではないと考えているようだ。かつて産業革命や機械文明に逆らった人々は、先見の明がなく冷や飯を食うはめになったのだという、ある種の強迫観念が現代人の意識の根底に住みついているのかもしれない。だから、おそらくは誰しもが感じているはずの不具合をなかなか口に出して言えない。テクノロジーに愚痴をこぼす人は時代錯誤だと思われてしまうからだろう。社会は時代についてゆけない人々をリストラすることに容赦ない。

しかし、誤解を恐れずに直言するならば、テクノロジーはもっとゆっくり、じっくりと進化すべきであった。時間をかけ、試行錯誤を経て熟成された方がよかった。過度な競争に狂奔して不安定な土台に不安定なシステムを継ぎ木し、それを反復することで進化した様々な基幹システムは、不確実で破綻しやすい体質を持ったまま走り出し、その走りをとめられないまま疲弊している。今日、人々は自分たちの周りを取り巻く不健康なテクノロジー環境の中で、日々ストレスをつのらせている。既にテクノロジーは、ひとりの人間の知識がその総体を把握できる絶対量をはるかに超えて増殖し、その果てはかすんで見えなくなってしまった。そういう状況に対処していく思想や教育が間に合わないまま、いたずらにはびこるだけのものづくりやコミュニケーションは美しくない。

コンピュータは「道具」ではなく「素材」である。そう評するのはマサチューセッツ工科大学の前田ジョンである。この表現は、与えられたソフトウエアを鵜呑みにしてコンピュータを使うのではなく、数字によって構築されたこの新たな素材によってどのような知の世界が開拓できるかを深く精密に考える必要があるという示唆を含んでいる。これは尊敬すべき指摘であると僕は思う。ある素材が優れた素材となるためには、まずその素材特性を極限まで純化するプロセスが必要である。粘土は彫塑という造形を誘う無限の可塑性を秘めた素材だが、その無限の可塑性はやはり粘土という素材の成熟と無関係ではないのだ。この粘土の中に釘や金属片が潜んでいたとしたら、人はこれを思いきりこねることができない。僕たちは現在、手を血だらけにして粘土をこねている。そうした無理な状況から生まれてくるものが我々の生活に充足を生むとは考えにくい。

現在のデザインは、テクノロジーがもたらす「新奇な果実」を社会にプレゼンテーションする役割を担わされ、ここでも歪みを加えられている。「今日あるものを明日古く見せる」ことに力を発揮し、好奇の食卓に「新奇な果実」を供するサービスに慣れたデザインは、新しいテクノロジーに従えられた格好で、さらにその傾向を強めてきているのである。

モダニズムのその先へ

さて、スタイルチェンジの手法に身をやつすデザインや新しいテクノロジーに従えられるデザインの話が続いたが、デザインは経済やテクノロジーの召使いになり果てたわけではない。そういう傾向をもつ一方で、デザインはものに形を与える理性的な指針としてこつこつといい仕事もこなしてきた。デザインは「形と機能の探究」という理想主義的な思想の遺伝子をその営みの内奥に抱えており、経済というエネルギーで運動しながらもクールな求道者のような一面をも維持してきている。それは産業社会の中で、最適なものや環境を計画していく理性的・合理的な指針として役割を果たしてきた。テクノロジーの進歩がプロダクツやコミュニケーションに新たな可能性を示すたびに、デザインは倦まずたゆまずそこに最適な答えを探し当てていく役割を担っている。僕は今この原稿をニューヨークからブエノスアイレスに移動する飛行機の中で書いているのであるが、飛行機そのものの安全性の進化に加えて、機内の居住性や座席の快適な機能はたゆみないデザインの成果として評価できる。キーをたたいているパーソナルコンピュータの無駄のない形にも、デザインがものづくりの中で果たしてきた思想的な役割を十分に感じとることができる。つまりモダニズムのひとつの成果として、デザインは今日の生活の中にしっかりと根をおろしてもいるのである。

一方、テクノロジーがもたらす新たな状況だけではなく、むしろ見慣れた日常の中に無数のデザインの可能性が眠っていることに今日のデザイナーたちは気づきはじめている。新奇なものをつくり出すだけが創造性ではない。見慣れたものを未知なるものとして再発見できる感性も同じく創造性である。既に手にしていながらその価値に気づかないでいる膨大な文化の蓄積とともに僕らは生きている。それらを未使用の資源として活用できる能力は、無から有を生み出すのと同様に創造的である。僕らの足下には巨大な鉱脈が手つかずのまま埋もれている。整数に対する小数のように、ものの見方は無限にあり、そのほとんどはまだ発見されていない。それらを目覚めさせ活性させることが「認識を肥やす」ことであり、ものと人間の関係を豊かにすることに繋がる。形や素材の斬新さで驚かせるのではなく、平凡に見える生活の隙間からしなやかで驚くべき発想を次々に取り出す独創性こそデザインである。モダニズムの遺産を受け継ぎ、新たな世紀を担っていくデザイナーたちは、そういう部分に徐々に意識を通わせはじめているのである。

コミュニケーションの領域においても同様である。混乱した状況の中で信頼に足る指針を生み出すのは地に足のついた状況観察の積み重ねである。情報建築家のリチャード・ソール・ワーマンが指摘しているとおり、今日、僕たちは次のような状況を理解するようになった。新たなテクノロジーがこれまでのものにとって代わるのではなく、「旧」が「新」を受けいれ、結果として選択肢が増える。そこで必要なのは「新」にすがることではなく、手にした選択肢を冷静に分析する態度である。たとえば、Eコマースの市場では、新しく起業した会社は、古くからある会社が慎重な分析を経てそこに参入するほどには成功をおさめていない。インターネットは新聞をなくしはしないし、Eメールの配信や携帯電話の発達は郵便物の数を減らしてはいない。要するにメディアが増えて複合し、コミュニケーションのチャンネルが多元化する。コミュニケーション・デザインとはこれらのメディアを合理的に整理する感性である。旧来のメディアで培ってきた感覚が新たなメディアの発生で無駄になるわけではない。ひとつのメディアで育成されたコミュニケーションセンスは、他のメディアに生かされる。つまり新旧のメディアのいずれに偏ることなく、それらを横断的な視野に入れ、縦横に用いていく職能がデザインである。デザインはメディアに従属するものではなく、むしろメディアの本質を探り当てていく働きをする。メディアが複雑に錯綜する状況においては、デザインの真価はむしろ明確に見えてくるはずである。

また、テクノロジーとコミュニケーションの関係をさらに深く掘り下げていく視点からは次のような発想が生まれてきている。つまりネットを飛び交いモニターに再現され得るようなラフな情報ではなく、諸感覚を総動員して感知するに足る情報の「質」の複雑さと奥行きが見直されはじめているのだ。その象徴的な事例として、バーチャル・リアリティを研究している認知科学の領域で、視聴覚以外の「ハプティック（haptic）」な感覚、すなわち触覚を中心とした繊細な諸感覚が近年さかんに注目を集めていることがあげられる。つまり人間の非常にデリケートな感覚がテクノロジーの先端で重視されはじめているのだ。人も環境も等しく物質であり、人の感じる快適さや充足感は、多様な感覚器官を介した世界との交流において、いかにそれを味わい慈しむかという点に帰するのだ。この点に関しては、デザインとテクノロジー、あるいはデザインとサイエンスは同じ方向を向きはじめている。僕の専門領域はコミュニケーションであるが、その理想は力強いヴィジュアルで人々の目を奪うことではなく、五感にしみ込むように浸透していくことであると考えるようになった。その存在にすら気づかないうちにコミュニケーションが成就するような、密やかで、精密で、それゆえに強力なコミュニケーションである。

さて、少々回り道をしたが、ようやく僕らが今、立っている場所に辿り着いた。僕らはこういう場所でデザインを考え、デザインを行っている。デザインは単につくる技術ではない。それは足早に振り返った歴史からでも確認できるはずである。むしろ耳を澄まし目を凝らして、生活の中から新しい問いを発見していく営みがデザインである。人が生きて環境をなす。それを冷静に観察する視線の向こうに、テクノロジーの未来もデザインの未来もある。それらがゆるやかに交差するあたりに、僕らはモダニズムのその先を見通せるはずなのだ。

第二章　リ・デザイン——日常の二一世紀

日常を未知化する

「リ・デザイン」というのは簡単に言うとデザインのやり直しである。ごく身近なもののデザインを一から考え直してみることで、誰にでもよく分かる姿でデザインのリアリティを探ることである。ゼロから新しいものを生み出すことも創造だが、既知のものを未知化することもまた創造である。そんなふうに前章の終わりで書いたが、デザインというものの姿を見定めるのにはむしろ後者が相応しいのではないかといつからか思うようになった。

九〇年代の約一〇年間を通して、僕はしばらく頭の隅にこの「リ・デザイン」というコンセプトをたずさえてきた。そして新しいマカロニのデザインの展覧会を開いてみたり、米という商品の相応しい姿を探してパッケージを試作したり、「日用品」のもうひとつ違う姿を想像してみたりと、このコンセプトをめぐって、いくつかの計画を実行に移した。その過程の中で、デザインに向き合う多くの人々や考え方と出会った。ここで一度それらを整理してみたい。

僕たちが生活する環境を形づくるもの、つまり家や床や風呂桶、そして歯ブラシといったようなものは、すべてが色や形やテクスチャーといった基本的な要素から構成されていて、それらの造形はオーガニゼーションへと向かう明晰で合理的な意識にゆだねられるべきである。そういう発想がいわゆるモダニズムの基本であった。そしてそういう合理的なものづくりを通して人間の精神の普遍的なバランスや調和を探ろうとすることが、広い意味でのデザインの考え方である。言い換えれば、人間が暮らすことや生きることの意味を、ものづくりのプロセスを通して解釈していこうという意欲がデザインなのである。一方、アートもまた、新しい人間の精神の発見のための営みであるといわれる。両者とも、感覚器官でキャッチできる対象物をあれこれと操作するいわゆる「造形」という方法を用いる。したがってアートとデザインはどこが違うのかという質問をよく受けることになる。僕自身ではアートとデザインをことさらに結合させたり分離させたりすることに意義は感じていないので、ここでその定義などを述べるつもりはないが、デザインという概念や、「リ・デザイン」というプロジェクトのある側面を整理して把握していただくために、少しだけこのふたつの差異について話しておきたい。

アートは個人が社会に向き合う個人的な意志表明であって、その発生の根源はとても個的なものだ。だからアーティスト本人にしかその発生の根源を把握することができない。そこがアートの孤高でかっこいいところである。もちろん、生み出された表現を解釈する仕方はたくさんある。それを面白く解釈し、鑑賞する、あるいは論評する、さらに展覧会のようなものに再編集して、知的資源として活用していくというようなことがアーティストではない第三者のアートとのつきあい方である。

一方、デザインは基本的には個人の自己表出が動機ではなく、その発端は社会の側にある。社会の多くの人々と共有できる問題を発見し、それを解決していくプロセスにデザインの本質がある。問題の発端を社会の側に置いているのでその計画やプロセスは誰もがそれを理解し、デザイナーと同じ視点でそれを辿ることができる。そのプロセスの中に、人類が共感できる価値観や精神性が生み出され、それを共有する中に感動が発生するというのがデザインの魅力なのだ。

「リ・デザイン」ということばの中には、あらかじめ社会の中で共有され、認知されている事柄をテーマとする、という意味が込められている。つまり「日用品」の、というテーマ設定は、ことさら奇抜なものではなく、人々に「共有」されている価値を扱うデザインの概念を検証し直すには最も自然で相応しい方法なのである。

リ・デザイン展

二〇〇〇年の四月、僕は「リ・デザイン――日常の二一世紀」というやや長い名前の展覧会を制作した。これは紙商社「竹尾」の紙業一〇〇年を記念して開催された展覧会の一部であり、実はここでふたつの展覧会を同時に制作している。ひとつはファインペーパー（色やテクスチャーの豊富な紙）とグラフィックデザインが織り成す歴史に焦点を当てた「紙とデザイン」という展覧会。そしてもうひとつが紙とデザインの近未来を展望する「リ・デザイン――日常の二一世紀」であった。

リ・デザイン展では、具体的には、三二名の日本のクリエーターに、極めて日常的な物品、たとえばトイレットペーパーや、マッチのような身近な物品のデザインを提案し直してもらった。建築、グラフィック、プロダクト、広告、照明、ファッション、写真、アート、文筆などなど数多くのジャンルから、いずれも視点や主張を明確に持った仕事をしている第一線のクリエーターの方々に依頼をしている。各々ひとつずつリ・デザインの課題を担当してもらい、すべての提案はプロトタイプとして制作し、従来のものと対比する形で鑑賞できる仕組みになっている。作家ごとのテーマは基本的にこちら側で考えたものである。

こういう企画はともするとユーモアやジョークの類と誤解されやすい。もちろん、「笑い」を排除するつもりはないけれどもそれを目的にはしていない。本質的にはきわめて真面目なプロジェクトである。比喩を持ち出すならば、テニスをする僕は、トッププレイヤーそれぞれに対して意識的にきわどいコースにサービスを打ち込んでみたことになる。結果として、サービスをはるかに凌ぐ鋭いリターンエースが次々と返ってきた。サービスは僕が発するデザインへの問いかけであるが、その問いの未熟さを補い、さらに新たな問いを含んだ創造的なリターンが次々と打ち返されてきたのである。

さらに誤解がないように付け加えておくが、リ・デザイン展は既存のデザインをやり直すプロジェクトであるが、これは優れたデザイナーの手を借りて日常のデザインを改良しようという提案ではない。日用品というのは長い歴史の中で磨かれてきた熟成のデザイン群であり、いかに今をときめくクリエーターであろうと、短時間でこれを乗り越えることは難しい。しかしながら一方で、提案されたデザインはそれぞれ明解なアイデアの切り口を持っていて、それらと既存のデザインの間には明らかな考え方の差異がある。まさにこの差異の中に、人間が「デザイン」という概念を持ち出して表現しようとしてきた切実なものが含まれているはずなのである。このプロジェクトは差異の中にデザインを発見する展覧会なのだ。僕はこの一連の作業から多くのことを教わった。ここではそのいくつかを振り返ってご紹介したい。

坂茂とトイレットペーパー

建築家の坂茂のテーマは「トイレットペーパー」である。坂茂は「紙管」を使った建築で世界に知られている。坂茂が紙管を建築に使うことにははっきりとした理由がある。ひとつには紙という一見脆弱に見える素材が実際には恒久建築に使える強度と耐久性を持っていることを発見したからである。そしてさらに重要なのは、紙管が極めて簡単でローコストな設備で生産できるという建築素材としてのフレキシビリティへの着目である。生産設備の負担が軽いので生産する場所を選ばないことや、世界的に基準がはっきりしているのでどこででも同じ基準で調達できるということ、加えて、紙は再生可能なので、不要になったらいつでもリサイクルできるということなど、今後の世界にとって重要になりそうないくつもの要素がこの素材に潜在しているという点に坂茂は着目している。

この紙管を使って坂茂は阪神大震災のときに被災者用の仮設住宅や教会を設計した。ルワンダの難民キャンプでは国連の難民高等弁務官事務所に働きかけて難民用のシェルターの構造材に紙管を活用した。ルワンダではシェルターに木材を用いると森林資源がすぐに枯渇してしまうし、立派なものをつくりすぎるとそこに人々が定住してしまうなどの問題が発生するらしい。したがって、簡易テントのようなシェルターの構造体として紙管は最適だったのだそうだ。一方、二〇〇〇年のハノーバー万博の日本館も坂茂による紙の建築である。これは高さにして数十メートル

阪神大震災の仮設住宅　写真・作間敬信

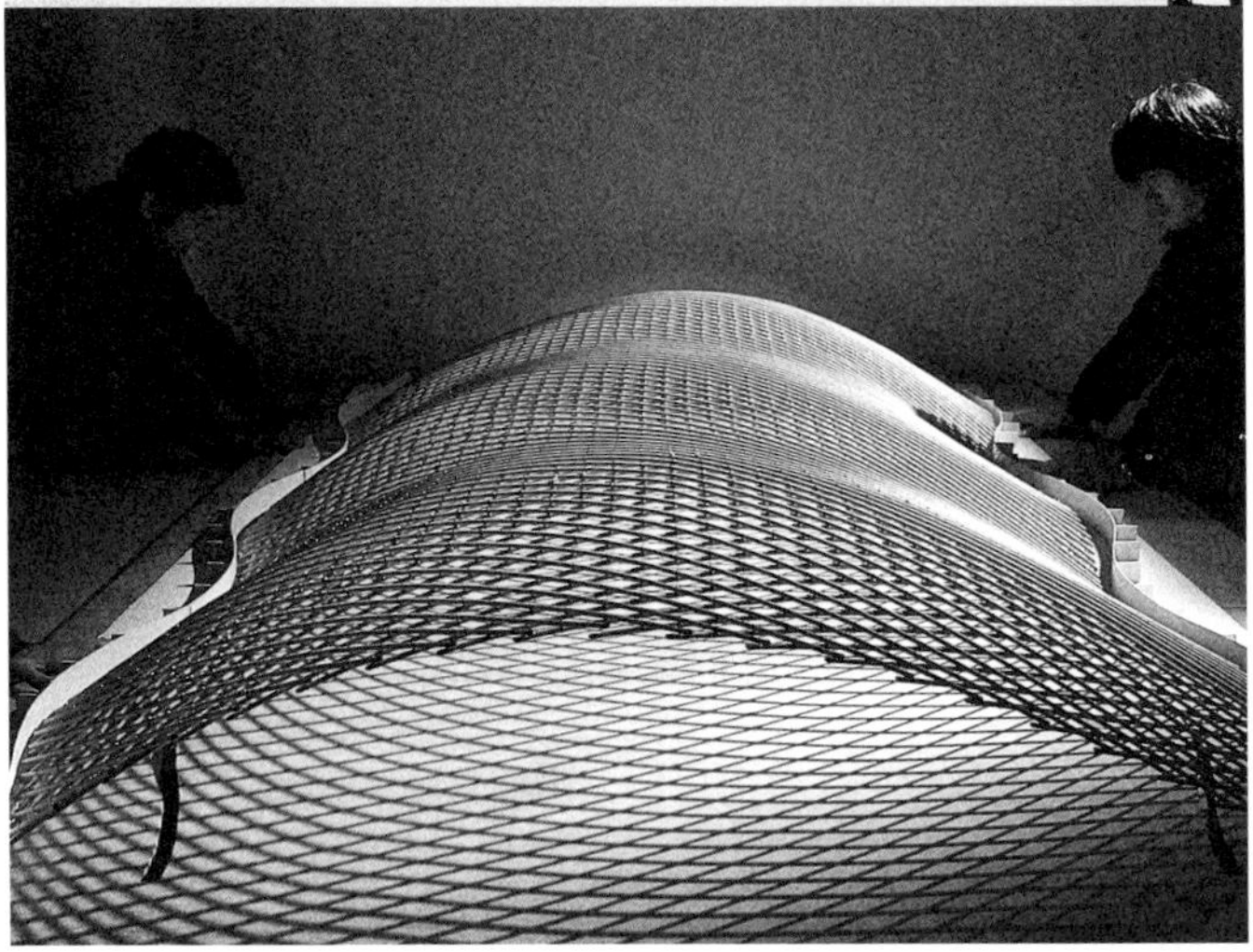

ハノーバー万博日本館模型　写真・傍島利浩

の巨大アーチ空間を紙管の構造体として実現したものだ。これは、パビリオンというものの仮設性を考慮して、使い終わったらすぐにリサイクルできるという点をそのコンセプトとしている。いずれも、資源を無駄にせず、普遍的・合理的な発想で必要な建築を具体化していくという明確な視点を感じさせる仕事である。そういう発想を背景に仕事をしている建築家の目が「トイレットペーパー」に向けられた。

坂茂がリ・デザインしたトイレットペーパーは写真に見るとおりである。すなわち中央の芯が四角い。四角い紙管をロールの芯として使っている。真ん中が四角だと必然的にトイレットペーパーは四角く巻き上がってくる。

器具に装填してこれを用いると引き出すときに必ずカタカタカタという抵抗が発生する。通常の丸いタイプだと軽く引っ張っただけでスルスルスルーッと滑らかに紙を供給してしまう。必要以上に紙を供給する設計になっているのである。トイレットペーパーを四角くすることでそこに抵抗が生じる。ゆるい抵抗の発生はすなわち「省資源」の機能を生むわけであるが、資源を節約しようというメッセージも一緒にそこに発生する。さらに、丸いトイレットペーパーだと重ね合わせた際に隙間がたくさん生じるが、四角いとそれが軽減され、運搬やストック時の省スペースにも貢献するのである。

このように、真ん中を四角にするだけで、そこに劇的な変化が起こる。これはもちろん、世界中のトイレットペーパーを四角くしようという提案ではない。そうではなくて「四角いトイレッ

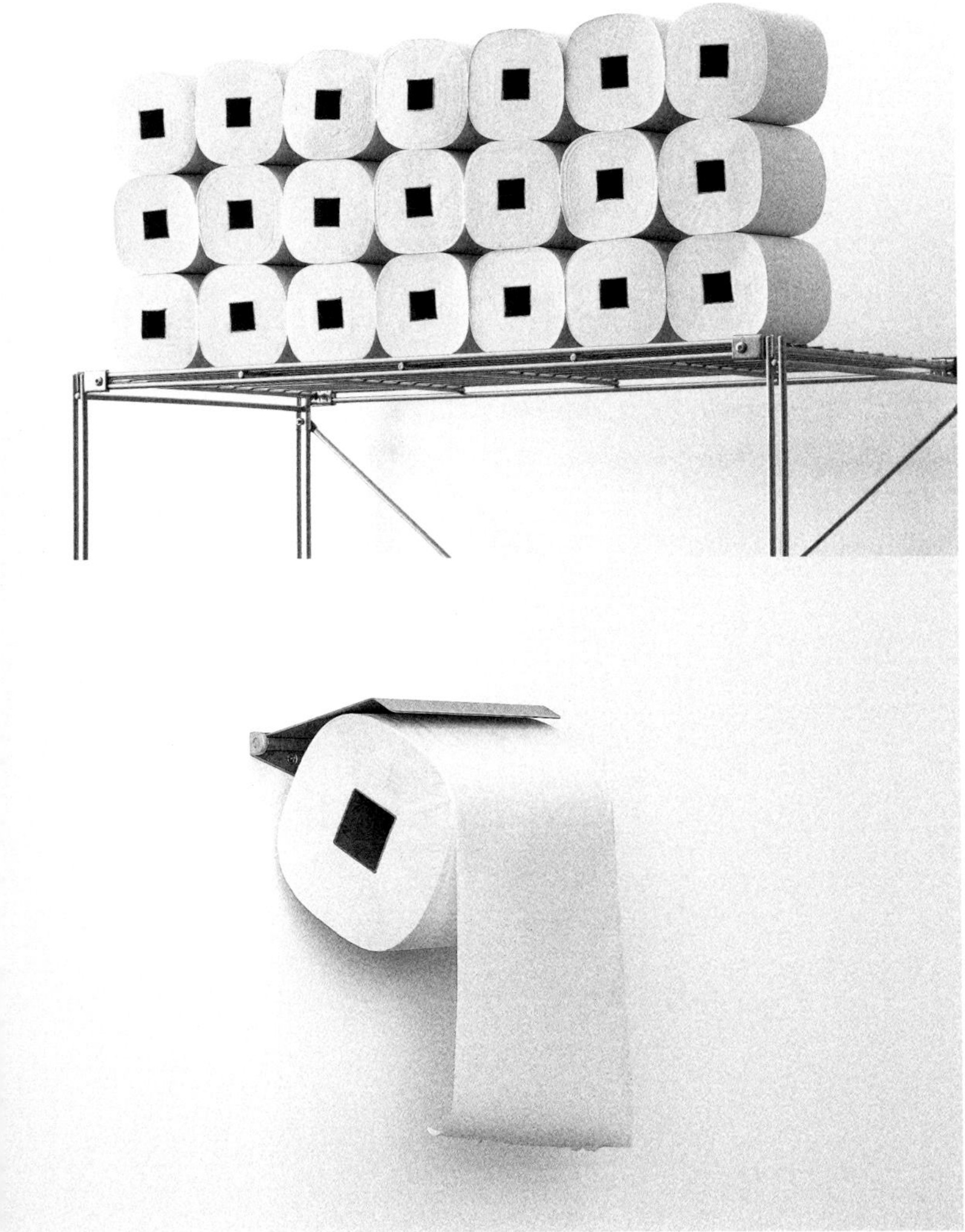

坂茂・トイレットペーパー

トペーパー」の発する「批評性」に着目していただきたい。デザインは生活というポジションから見る文明批評でもある。これは今日にはじまったことではない。デザインという考え方・感じ方はその発生に遡って批評的なのである。トイレットペーパーの芯の丸と四角。その差異の中にその批評性のリアリティを感じていただけたら幸いである。

佐藤雅彦と出入国スタンプ

佐藤雅彦は、お茶の間に浸透した数多くの広告のディレクターであり、ゲーム『IQ』の発案者であり、映画『KINO』の監督でもある。また慶應義塾大学の教授として学生に人気のゼミを主催している。さらには『だんご三兄弟』という歌を子供番組のために制作して大ヒットを飛ばし、氏が生み出すメッセージが多くの子供の心にまで波及することを実証した。それら多方面での活動に共通するのは、コミュニケーションの中に潜む法則性への冷静な探究と、その成果の応用がとても見事である点である。

映画『KINO』は映像の短編集であるが、その中に「人間オセロ」というタイトルのものがある。バス停で右を向いて男が三人並んでいる。そこへやってきた四人目の男。この男がどういうわけか反対方向を向いてその列に加わったのである。先頭であるはずの右の男がそれを見て、つられて左を向いてしまう。やがて、向きの異変に気づいた真ん中のふたりも、おもむろに左への方向転換をうながされることになる。結果として、バスに並ぶ順番は逆になってしまうのだ。人間の心理に作用するオセロ的な現象を表現した、面白い短編映像である。こういう「コミュニケーションの種子」のようなものの存在を佐藤雅彦は常にサーチしている。そしてその種子をめぐって人の心に発生する小さな運動、それを仮に「感動の芽」と呼ぶとすると、その芽が発芽する原理のようなものを見逃さない。佐藤雅彦のあらゆる活動にはそのような怜悧な観察眼とその原理を活用しようとする精密なセンスがある。

佐藤雅彦に依頼したテーマは、パスポートに押す「出入国スタンプ」である。基本的に日本の出入国スタンプは「丸と四角」で出国と入国の差異を表示している。非常にシンプルなアイデアである。これはこれで十分機能しているが、ここにもうひとつ、人々の心を和ませる工夫をこらせないかと相談を持ちかけた。結果としてできあがったのが、写真のようなデザインである。

出国が左向きで、入国が右向きの旅客機の形になっている。そのアイデアには、スタンプを介した事務手続きに、一服のコミュニケーションを盛り込もうという、まさにコミュニケーションの種子が含まれていて、それに触れる人々の気持ちの中で次々と発芽するのである。別の言い方をすると、このスタンプに触れた人は、予期しなかった部分を衝かれて必ず「あ！」と心の中で微細な動揺を起こし、結果として頭の中に小さなびっくりマークをポーンとひとつ発生させる。それは陽性の、好意に満ちたびっくりマークである。

もし仮にはじめて日本を訪問する外国人が一日に五万人あるとすると、このスタンプが国際空

佐藤雅彦・出入国スタンプ

港で使われた場合、それは陽性のびっくりマークを一日に五万個生産することになるだろう。つまり「あ、日本ってちょっとやるな」というポジティブな認識が一日に五万個生産できるということになる。同じ効果を他のメディアでやろうとしたら大変だ。「へえ、日本ってなかなかいいじゃない」とはじめて日本に来た外国人全員に思わせるようなテレビコマーシャルなんてそう簡単にはできないし、日本を訪れた外国人だけを選り分けてアクセスできるメディアだってないのだ。

こんな話を聞いたことがある。ある国に入国する際、パスポートコントロールでパスポートを返されながら、係官に「ハッピーバースディ」と言われたそうだ。つまり、係官はチェックをしていてその日がその人の誕生日であることに気づいた。もちろん、何も言わないで返すこともできる。しかし、その係官は「ハッピーバースディ」と口に出して言った。それでこの話の本人は、ちょっとその国が好きになったということである。

要するに、こういう小さなところに、コミュニケーションの種子が眠っている。佐藤雅彦のスタンプは、その種子の存在とそれを芽吹かせる方法を具体的に示唆している。これは電子メディアの可能性について夢想することに夢中で、日常的なコミュニケーションの局面での実践がややお留守になっているかもしれない僕たちが、コミュニケーション音痴への道に迷い込まないための貴重なヒントを与えてくれていると思うのである。

一方、佐藤雅彦からはこのスタンプに関して、最終的にはこういうコメントをもらった。つまり、最初にオリエンテーションを受けたときには、ウエルカムな感じのスタンプがあってもいいと思い、人々をちょっとだけ元気づけることができるようなスタンプをつくった。しかしよく考えてみると、現状のニュートラルな方がいいのではないかと思うようになった。なぜならば、身の回りのデザインには余分なものが多すぎるから。現在のスタンプはかなりいい具合に余分なデザインが抜けているのではないか。変なところで頑張りすぎているのは逆にみっともないと思うので、現実的な意味ではやらない方がいいかもしれない、ということである。

確かに、それはその通りかもしれない。答えを出した後にさらにそれを微修正してみせる慎重さと誠意は、法則を実用へと実践できる精密なセンスの一端なのだろう。

隈研吾とゴキブリホイホイ

隈研吾は頭脳派の建築家である。しかし世の頭脳派と呼ばれる建築家がもっぱら自身の建築の解説に頭脳を使っているのとは一線を画する。どこにどんな頭脳を使っているかというと、建築という名目で立派すぎる造形を世界に示すことを「恥ずかしい」と感じ、そういう局面に良質のデリカシーを持ち込むことに対して繊細で緻密な頭脳を使っている。つまり、モニュメンタルな建造物が権威を発生させてしまうという宿命や、個性的・耽美的な造形を建築を通して実現したいという欲望を、どう制御・抑制するかという点が、まさに今日の建築の質をはかるポイントであると考え、その点に非常に高い洗練を生み出そうとしている建築家なのである。その制御や抑制の形は一様ではなく、あるときは繊細さをわざと裏返しにした奇抜なオブジェクトを示してみたり、あるときは存在を軽減するために建築を透過させてみたり、またあるときは建築の姿が見えないように設計してみたりする。

建築を消すというのは、たとえばこういうことである。その代表的な事例が瀬戸内海を見晴らす場所に設置された「亀老山展望台」である。これは山頂から景色を展望するという機能は実現しているものの、この展望台そのものは、ヘリコプターで上空からでも眺めない限りそれを視認することはできない。つまりふもとから見ても山しか見えないのである。もともとは山頂を削って造成した土地に展望台の設計を依頼されたものだが、展望台を建設した後にこれを埋め直して樹を植えたので、展望機能は実現したものの、その姿は他の場所から見ると消えてしまったことになる。

また隈研吾の代表作のひとつである熱海にあるゲストハウス「水ガラス」は、海に向かう崖の中腹にあり、これも船で沖へ出て双眼鏡でも覗かないかぎり建築の外観を見ることはできない。そのかわり、屋根廂の上に水を張った「水のテラス」がガラスでできた建築の外縁をおおい、室内からの視線を受ける水面が、そのままさらに遠景の太平洋の海面につながっているという視覚的なダイナミズムが建築内部にしつらえられている。すなわちこれは内から外を眺める装置としてのみ設計されており、外観という発想をさっぱりと回避しているのだ。

亀老山展望台

水ガラス

そういう視点から建築を設計し続けている隈研吾に「ゴキブリホイホイ」のリ・デザインを依頼した。普通の「ゴキブリホイホイ」にはゴキブリを捕獲するためのしたたかな機能が装着されている。入り口にある「足拭きマット」で脚の油分を拭い、やがて中に入ったゴキブリは接着剤に足をとられて動けなくなり餓死するという仕掛けである。それが幸せそうなゴキブリ家族のマイホームのような形として表現されている。そこがとても馬鹿馬鹿しくて、本来の殺伐とした殺虫機能を忘れさせてくれる救いがあって、実際にとても売れている。実にメジャーな商品なのである。

隈研吾はこれを、ロール状の粘着テープとしてデザインした。テープを適当な長さに引き出してカットして使うというもの。カットされたものを組み立てると四角いチューブができあがる。中は全て粘着質になっているので、要するに半透明の四角い粘着性のトンネルができあがる。ユニットとユニットの間の関節部分には外側にも粘着性があるので、壁のような垂直面にも張り付けられる。基本的に細長いので、ゴキブリの出没しそうな台所の隙間などへの装着が容易である。

これは現代的なインテリアによく似合う。ゴキブリも洗練された機能美の中で捕獲されていくことになるのだろう。一方で、これは小さいながらも明らかに建築であり、隈研吾という建築家の考え方を理解する手がかりになる。モニュメンタルな「ハウス」を否定して流動的な「チューブ」を選択するというところは実に隈研吾的である。

隈研吾・ゴキブリホイホイ

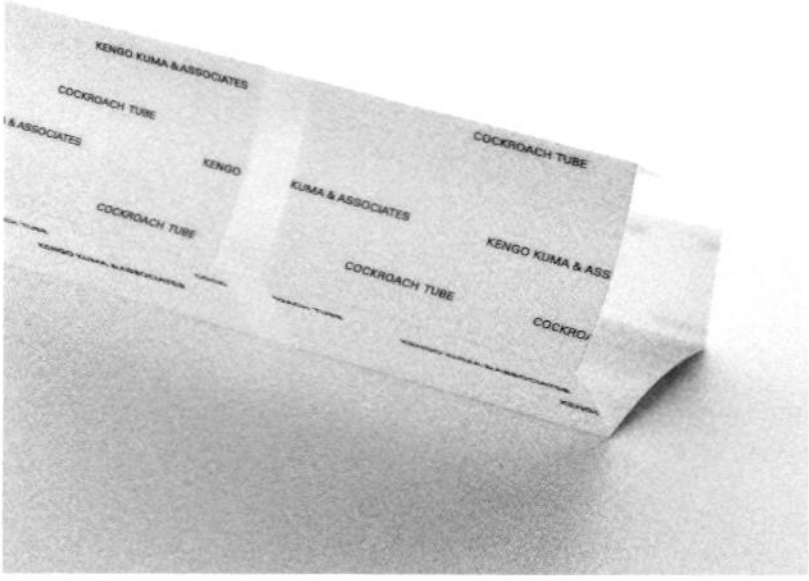

かつて隈研吾に「建築家たちのマカロニ展」のための架空のマカロニの設計を依頼したことがある。そのとき隈研吾は「マカロニが構築的であるのに対して、スパゲッティは非構築的である。極端な言い方をすればマカロニには形があるがスパゲッティには形がない。今日、建築は非構築的なスパゲッティになるべきだ。したがって、マカロニの構築性をいかに解体するかがテーマである。その方法として両者の境界を曖昧にしてみたい」と答えて、スパゲッティの両端を結んだようなマカロニを提案してきた。

建築家というものは、自己の視点を明確に仕事に反映させるという点で、素晴らしい潔癖さを持った職能である。ここでは建築家、隈研吾の仕事を、台所周辺の日常レベルでしっかりと認識していただければ幸いである。

面出薫とマッチ

こすると発火するあのマッチがテーマである。最近は家庭の中でマッチを手にすることも少なくなってきた。たばこに火をつけるのもたいがいライターである。さらに火そのものを扱う機会すら減ってきた。ガスレンジはまだ炎が出るが、電磁波の調理器具なども徐々に浸透している。そういう時代になぜマッチか、という疑問を抱かれるかもしれないが、これは要するに、最も身近な「火」のデザインなのである。この問題はおそらくは照明家の守備範囲であろうと考えて、このテーマをライティング・デザイナーの面出薫に依頼した。

面出薫は有楽町の東京国際フォーラムや仙台メディアテークなどといった大きな公共空間の照明計画を手掛けているライティング・デザイナーである。つまり、光のデザイナーであって照明器具をデザインする人ではない。別の言い方をすると、光と同時に闇をデザインしている人でもある。面出薫は「照明探偵団」なるチームを結成して都市の夜の明かりをリサーチするワークショップを開催して話題になった。照明探偵団の報告によると、都市の街路においてもっとも強い光を放つのは自動販売機の明かりだそうだ。また、コンビニエンスストアの光の照度も異常な明るさであるらしく、そう言われてみると東京の夜の街路の印象を決定づけているのはこのふたつの照明かもしれない。そういうことにしっかりと気づいていくことが、都市のデザインの第一歩であると照明探偵団は教えてくれているのである。

マッチに対する面出薫の答えはこれである。これは落ちている木の枝の先に発火剤をつけたもので、要するに、地面に落ちた小枝に、地球に還っていくその前に、もうひと仕事してもらおうという発想である。人間と火の何万年にもわたる関係に思いを馳せ、先祖から受け継いだ火のある暮らしに想像をめぐらせながら、手のひらの中に「火」を置いてみようと、このデザインは語っている。落ちている木の枝の形もよく見ると美しい。そういう美の存在を、ふだんの忙しい時間が忘れさせている。自然、火、そして人。そのそれぞれの存在を、印象的に喚起させられるデザインである。

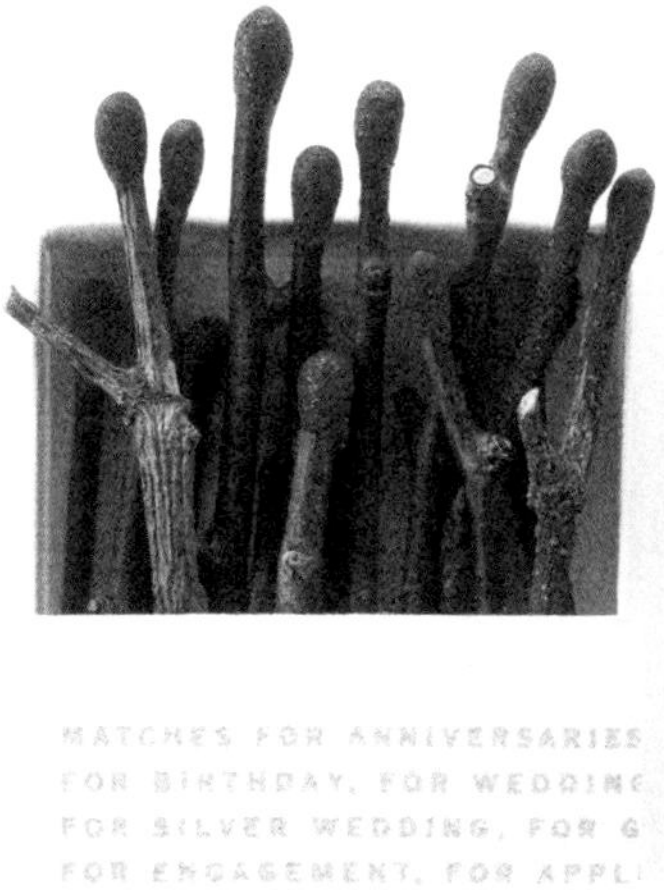
MATCHES FOR ANNIVERSARIES
FOR BIRTHDAY, FOR WEDDIN
FOR SILVER WEDDING, FOR G
FOR ENGAGEMENT, FOR APPL

面出薫・マッチ

これは「記念日のためのマッチ」という設定になっていて、記念日や、誕生祝いなどでケーキのろうそくに火をともす際などに用いると効果的だろう。やはり生きた火には強い象徴性がある。炎には、巨大化するかもしれない獰猛な破壊の可能性と、創造の本質が同時に潜在しているからかもしれない。このマッチのデザインにはそういう巨大なイマジネーションが小さくしたためられている。

津村耕佑とおむつ

テーマは紙おむつであるが、子供のおむつではない。大人用あるいは老人用のおむつである。紙おむつは一九六三年に発売されたのが最初らしいが、八三年に高分子吸水素材が採用されたことで、コンパクト化や装着感などの面で大きな進歩をとげたそうだ。機能的にはかなりの水準に達しているらしいが、配慮の足りない点もある。たとえばもし、僕が明日、排尿のコントロールができなくなった場合、これをはかなくてはいけない。その情景をイメージすると少し情けなくなる。これをつけて鏡に向かってみればよく分かるだろう。自己の尊厳を保ちようのない姿がそこに映っているはずだ。なぜなら、それが基本的に赤ちゃんのおむつと同じ形態だからである。自分で使うのも嫌だが、親に使われるのも悲しい。

このテーマを依頼したのは、服飾デザイナーの津村耕佑である。津村耕佑は「ファイナルホーム」というブランドを主宰しているが、ファイナルホームのコンセプトは、流行やトレンドを意識している通常の服飾ブランドとは異なる。それは衣服と人間との新しい関係を模索しようとする実験性をエネルギーとして成立している。一例としてこんな服がある。それは服のあらゆる場所にジッパーがついている。ジッパーの中はポケットになっていて、いろいろなものが大量に詰め込める。雑誌や新聞を丸めてどんどん詰め込むと、服そのものの形が変化すると同時に、服の保温機能がアップする。くしゃくしゃにした新聞紙などは保温性があるので、詰め込み方によってはこれを着たまま屋外でも寝られそうだ。しかしもちろん、これはホームレスの服というわけではない。しかしそういう状況すら想像できるフレキシビリティを持っているのだ。服のそでが、ジッパーによって肩口から着脱できたりするものもあり、実際に試してみると思っていた以上に新鮮である。服に対する意識が変わる。衣服と人間の関係の多様性を掘り下げるファイナルホームの試みは、世界で評価され人気を集めている。

津村耕佑のおむつに対する答えは、次頁の写真をご覧いただきたい。基本的には、トランクス型になったことで、まずはお洒落になった。この写真は「使用前・使用後」ではない。下段左側の写真は透過照明で撮影しており、黒ずんだ部分が高分子吸水素材である。高分子吸水素材はよくできていてトランクス型でも漏れない。こうして形の美しいおむつができたわけだが、さらにもっと重要な提案がこの答えには含まれていた。

それはこのデザインが、人間の体液を吸収するための「ウエア一式」として提案されている点

津村耕佑・おむつ

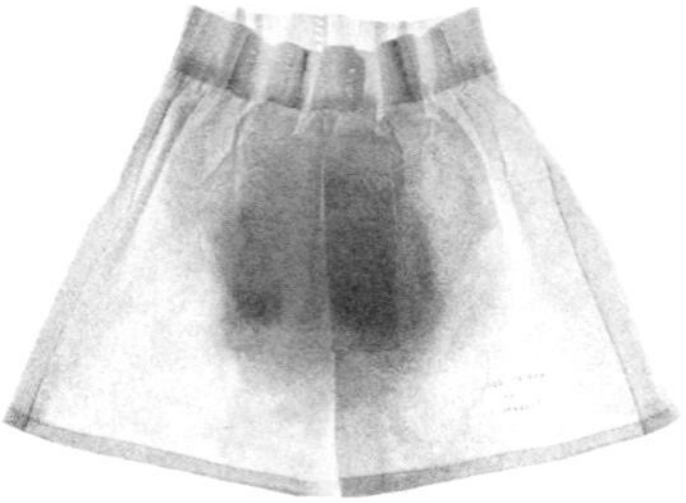

である。ランニングシャツや、Tシャツのようなもの、ショーツのようなものなど様々あるが、よく見るとそれぞれのウエアの端に文字が書いてある。これはそれぞれの吸水性の度合いを表示したもので、この一連のウエアには、吸水性のレベルが三段階に設定されている。軽い汗を取る程度のシャツやショーツは「プロテクション1」、おむつは一番体液の吸水力の高い「プロテクション3」である。

だからもし僕が、明日からおむつを使用しなくてはならない状況になったとしても、この一連のウエアの中からプロテクションレベルが3のトランクスを選べばいいということになる。要するに赤ちゃんと同じ形のおむつを装着されてしまうという心理的な抵抗が完全に払拭されている。こういう心理的なケアがデザインで見事に解決できることを、津村耕佑のおむつは証明してくれているのである。

深澤直人とティーバッグ

深澤直人はプロダクトデザイナーであるが、普通のデザイナーが見ない微妙でデリケートなポイントでデザインをする。言わば、無意識の領域にデザインを仕掛けるデザイナーであり、それが効果を発揮していても人はそこにデザインが機能していることに気づかない。そこに戦略が働いていることを気づかせないで、ある行為を誘導したり、ヒット商品をつくったりすることができるデザイナーは脅威である。深澤直人がよくない目的のために悪用される前に、僕らはそのデザインの秘密をしっかりと解きあかしておく必要がある。

深澤直人はこんなふうに言う。たとえば、傘立てをデザインするとした場合、まずすぐに出てくるイメージとして「円筒形」のようなものがある。しかし、深澤直人はそういう発想こそ排除すべきだと言うのだ。玄関先の壁面から一五センチメートルくらい離れたコンクリートの床面に、幅八ミリメートル、深さ五ミリメートルくらいの溝を彫っておけばいい。傘を置きたい人は先んじて、傘の先端を固定できるひっかかりを探す。その行為に先回りして彫られた溝は、間違いなくそれを探す傘の先によって発見され、結果として玄関先に傘は整然と並ぶことになる。この「溝」が傘立てである。しかし使っている人はこれを傘立てとは気づかないかもしれない。無意識の行為の結果として傘が整然と並ぶ。それでデザインは完了していると深澤は言うのである。

こんなふうに人間の行動の無意識の部分を緻密に探りながら、そこに寄り添うようにデザインを行うのが深澤流である。これは「アフォーダンス」という新しい認知の理論を連想させる考え方である。アフォーダンスは行為の主体だけではなく、ある現象を成立させている環境を総合的に把握していく考え方である。たとえば「立つ」という行為は主体である人間の意志的なふるまいであるかのようだが、実際には「重力」と「ある硬さを持った地面」がないと「立つ」ということは実現しない。無重力だと体が浮いてしまうし、水の入った深いプールでも「立つ」は成立しない。この場合、重力と硬い地面が立つという行為を「アフォード」しているという。また、

深澤直人・CDプレーヤー

これは深澤自身の説明を引用するが、たとえば、ガールフレンドとふたりでドライブをしているとき、コーヒーが飲みたくなって自動販売機に向かうとする。コインを入れボタンを押し、紙コップにまず一杯目が出てくる。これを手にとると財布から次のコインを取り出し販売機に投入することができない。これをどこかに置かなくてはいけない。ガールフレンドはクルマの中である。

周囲にはそれを置く場所などない。しかしすぐ脇のほどよい高さにクルマのルーフがある。ちょっとマナーは悪いが、仕方なくルーフにコーヒーを一旦置いて、次のコーヒーのためにコインを入れる。この場合、ルーフは明らかにテーブルとして設計されたものではないが、そのほどよい高さや平板性はコーヒーを置くという行為を「アフォード」している。その結果としてルーフの上にコーヒーを置くという行為が発生する。このように、行為と結びついている様々な環境や状況を、総合的かつ客観的に観察していく態度が「アフォーダンス」である。深澤直人はアフォーダンスの理論からデザインを導き出したデザイナーではない。しかし、着目しているポイントがアフォーダンスの発想に近接しているのだ。

深澤直人がデザインしたCDプレーヤーをご存じだろうか。それはほとんど「換気扇」の形をしている。中央にCDを装着し、換気扇のひもの位置に設置されたコードをひっぱるとCDは回りはじめる。ちょうど換気扇のように。それがCDプレーヤーだと分かっていても、脳に刻まれた換気扇の記憶が作用して、それを見つめる僕らの身体は身構える。特に頬あたりの皮膚は猛烈な繊細さで触覚のセンサーを活性させて、吹いてくる風を待機する。しかし風は来ず、かわりに音楽がそよいでくるのである。換気扇の形にデザインしたおかげで、オーディオ機器としての性能はやや犠牲になったかもしれないが、音楽を待ち受ける人間のセンサーを活性させることによって、相対的にそれは性能を増していることになるのかもしれない。このような魔法のような関係を、ものとデザインの間に構築するのが深澤の方法である。いずれにしても、通常のオーディ

深澤直人・ティーバッグ

オ機器とは発想の異なる無印良品のＣＤプレーヤーは世界的な人気を博すことになった。

さて、その深澤直人に依頼したテーマは「ティーバッグ」である。今や世界でとれる紅茶の九割がいわゆるティーバッグの形で製品になるのだそうだ。そのようなスタンダードなデザインにどのような切り口を見出せるか。深澤は三つの案を提示してくれたが、ここではふたつの案を紹介しよう。

まずは、持ち手の部分がリング状になったもの。これはリングの色が、紅茶の飲み頃の色と同じになっている。ただし、これはこの色になるまで紅茶を入れなさいという指標ではない。そういうおせっかいな理屈はつけない。しかし、長い間これを使っているうちに紅茶の色とリングの色の関係をしだいに意識するようになるはずだと深澤は考えている。自分はリングより濃い方が好きだとか、今日は薄めに入れてみようとかいう具合に。つまり色の意味を特には規定しないけれども、そこに意味が発生するための用意はしておく。つまり何かをアフォードする潜在性をデザインしておく、ということだそうだ。

もうひとつのデザインはマリオネット型のティーバッグ。紅茶を入れる仕草がマリオネットを操っている動作に似ていることからの発想だそうだ。持ち手がちょうどマリオネットのハンドルのような形になっていて、バッグは人間の形である。リーフが濡れるとバッグ一杯に膨らんで、黒い人形になっていく。それを揺さぶっているうちにマリオネットを扱っているような不思議な気持ちになる。無意識にしかけられたデザインが行為を通してあらわになってくるのである。

世界を巡回するリ・デザイン展

さて、「リ・デザイン」の話はこれで終了。全部で三二篇あるプロジェクト全ての解説を行う必要はない。ご紹介したいくつかの事例でこのプロジェクトの意図は十分にご理解いただけたのではないかと思う。

僕たちの住まう日常は、既にデザインで埋め尽くされているように見える。床も壁もテレビモニターもCDも書籍も、ビール瓶も照明器具も、バスローブもコップ敷きも……。確かにそれらは全てデザインの所産である。そういう日常を未知なるものとして、常に新鮮に捉え直していく才能がデザイナーである。

二一世紀は、見たことがないようなものが生み出されて、何を次々と革新していくのだろうと考えていたが、そういう発想はむしろ二〇世紀に置いてくる方がいい。新しい時代は、知っているはずの日常が次々に未知化されるように現れてくる。いつの間にか携帯電話がコミュニケーションの主役に座っているように、見慣れた日々のあらゆる隙間から、未来は少しずつ僕らの目の前に姿を現し、気がつくと僕らは未来のまん中に座っている。新たなものが「波」のように海の彼方から押し寄せてくるようなイメージは過去のものである。

一方でテクノロジーの変革が生活の根幹に影響を及ぼし、世界を席巻していくというイメージもまた幻想である。テクノロジーは生活に新しい可能性をもたらしてくれるだろうが、それはあくまで環境であり創造そのものではない。テクノロジーがもたらす新たな環境の中で、何かを意図し、実現していくのは人間の知恵である。

「リ・デザイン」の展覧会は、日本の四都市で開催した後、やや押し売りぎみに世界各地の美術館へ送り出され、まれに招かれたりもしながら、現在では世界を巡回する軌道に乗った。各都市でお披露目をするうちに、次々と巡回の依頼が舞い込み、今後数年はワールド・ツアーが続きそうな気配である。グラスゴーを皮切りにコペンハーゲンを経て、香港、トロント、上海、北京、ソウル、ミラノ、ベルリン、メルボルン、そして最後にニューヨークへと巡回する予定である。

既に開催された地域では意外に大きな反響を呼んでいる。最初は、この一風変わった展覧会をユーモア・デザイン展だと勘違いして報道されることもあるが、そういう誤解も含めて、各国のメディアは案外と熱心にこれを記事にしてくれる。結果として、展覧会の趣旨はおもむろに判明し、かえって大きな衝撃を生んでいるようだ。二万人を超える動員を記録したグラスゴーでは八つの小中学校が、リ・デザイン展が開催されているミュージアムに出かけてワークショップを行っている。トロントでの展覧会は会期が二カ月延長になった。

世界は今、気づきつつあるのだ。世界全体を合理的な均衡へと導くことのできる価値観やものの感じ方を社会のいたるところで機能させていかないとうまくやっていけないということに。そしてはっきりと変わりはじめている。フェアな経済、資源、環境、そして相互の思想の尊重などあらゆる局面においてしなやかにそれに対処していく感受性が今、求められているのである。

デザインという概念は、そんな感受性や合理性に近接した位置にはじめから立っている。そういう意味でデザインという概念の本質が見つめ直されようとしている。リ・デザイン展の巡回でそれをはっきりと感じることができた。

第三章　情報の建築という考え方

感覚のフィールド

　僕はグラフィックデザイナーである。ただし扱っている領域は視覚的なものだけではない。触覚をはじめとする様々な感覚のチャンネルに向けてメッセージをつくっている。たとえば一枚の展覧会のチケット。印刷された写真や文字は視覚的なものだが、その情報を載せている紙は抽象的な白い平面ではない。それは指先に繊維の質感を伝えてくる物質であり、微かではあるが重みもある。だから僕らはそれを手のひらの中に丸めてみたり、ふたつに折り畳んだりするのだ。つまりそれは触覚に刺激を運んでいる。そしてもしそこに刷られているのが深い森の写真だとするなら、それは視覚だけにとどまらず、聴覚や嗅覚などの記憶を微妙に刺激し覚醒させている。結果として見る側の脳裏にはいくつもの刺激の積層による複合的なイメージが生まれるのである。要するに情報を享受する人間は感覚器官の束である。そういう受け手に投げかけるべく、デザイナーは種々の情報を組み合わせてメッセージを構築しているのである。

一般的に「五感」とよく言われる。視覚、聴覚、触覚、嗅覚、味覚という五つの感覚を指す言葉だが、これは「五官」すなわち目、耳、皮膚、鼻、舌といった感覚器官に対応した感覚の分類だろう。しかし、ちょっと考えただけでも、感覚が五つに集約されるはずもない。たとえば、指先で微かに触れるようなデリケートな接触と、手のひらでドアノブを押すような感覚は同じ「触覚」と分類するには抵抗がある。骨や腱に対する刺激はむしろ「圧覚」とでも呼んだ方がいいかもしれない。また、味覚と言っても、これは口腔や舌の触覚と嗅覚が微妙に絡みあった感覚であって、口一杯にパンを頬張ったときと、舌先で甘いクリームをなめるときの感じ、あるいは熱いスープをすする感覚は同じ「味覚」と呼んでいいものかどうか。さらにいえば、ウールのセーターに顔を埋めたときに感じる触覚や嗅覚は、再びセーターを見ただけで脳裏に蘇ってくる。たわしの表面がどのように硬いか、畳を裸足で歩くとどんな感じがするか。それらは記憶の中に経験された感覚として蓄積されていて、それを示す言葉や写真を媒介するだけでも脳裏に再生され豊かなイメージを形成する。

感覚はこのように互いに連繫しあっている。人間は、極めてセンシュアスな受容器官の束であると同時に、敏感な記憶の再生装置をそなえたイメージの生成器官である。人間の頭の中に発生するイメージはいくつもの感覚刺激と再生された記憶によって織り成されるスペクタクルである。そしてまさにそこが、デザイナーのフィールドなのである。デザイナーとしての経験を経るうちに、そういう感覚のフィールドで仕事をしているという自覚が徐々に強くなってきた。この章では、感覚を複合してイメージを形成する、という視点から、自分が経験した仕事のいくつかを振り返り、記述してみたい。

情報の建築

感覚あるいはイメージの複合という問題について、僕はこんなふうに考えている。デザイナーは受け手の脳の中に情報の建築を行っているのだ。その建築は何でできているかというと、様々な感覚のチャンネルから入ってくる刺激でできている。視覚、触覚、聴覚、嗅覚、味覚、さらにそれらの複合によってもたらされる刺激が受け手の脳の中で組み上げられ、僕らが「イメージ」と呼ぶものがそこに出現するのだ【図1】。

さらには、この脳の中の建築には、感覚器官からもたらされる外部入力だけではなく、それによって呼び覚まされた「記憶」もその材料として活用されている。記憶というものはその主体が意志的に過去を反芻するためだけにあるのではなく、外からの刺激によって次々と呼び起こされ、新しい情報を解釈するためのイメージの肉付けとして働く。つまり、イメージとは、感覚器官を通じて外から入ってくる刺激と、それによって呼び覚まされた過去の記憶が脳の中で複合、連繫したものだ。デザインという行為は、このような複合的なイメージの生成を前提として、積極的にそのプロセスに関与することである。これを情報の建築と呼ぶのは、その複合的なイメージを、

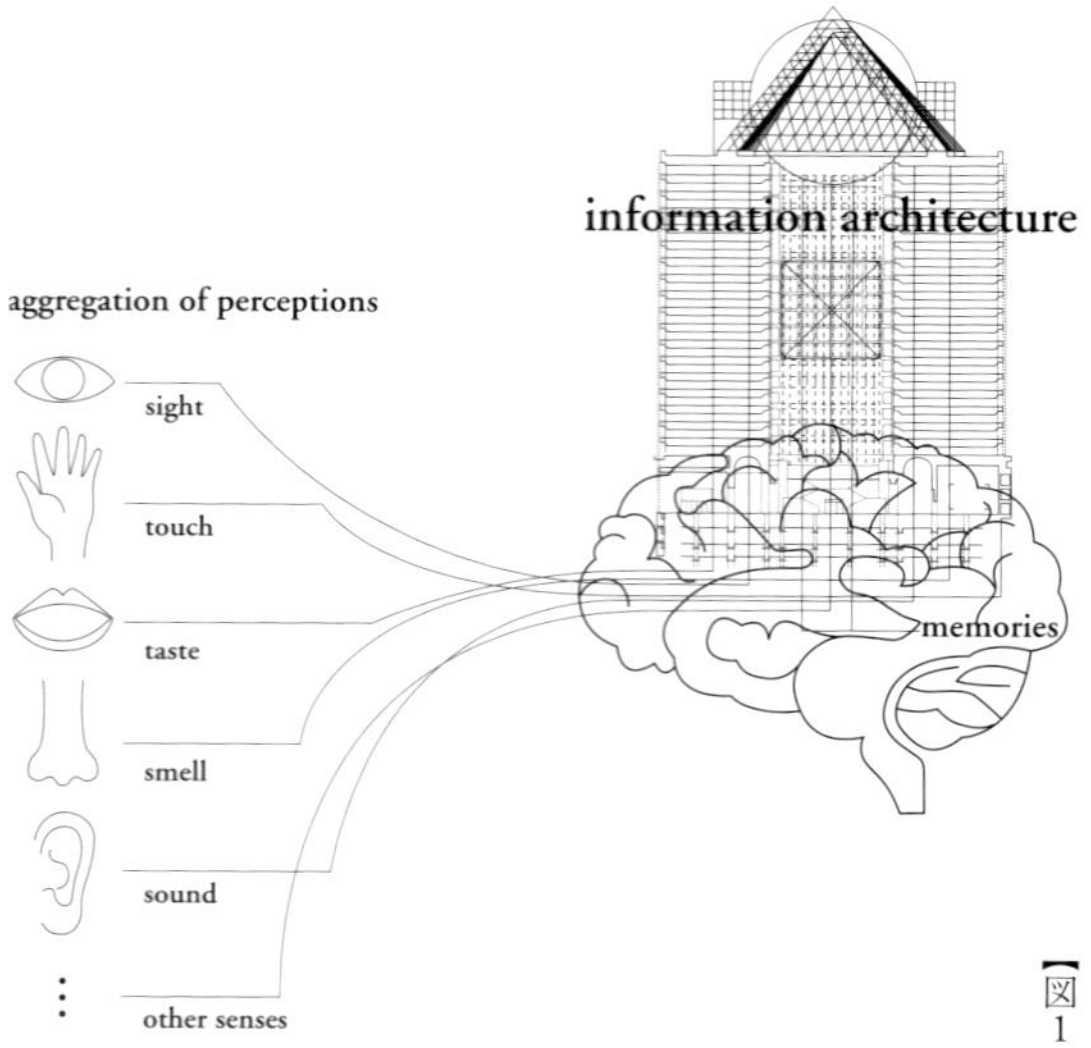

【図1】

意図的に、計画的に発生させることを意識してのことである。
もうひとつ【図2】は同じようなことを、全く異なる発想で表現したものだ。ほとんど鍼灸か東洋医学の身体経絡図のようである。脳は頭の中にひとつだけあるのではなく、ツボのように

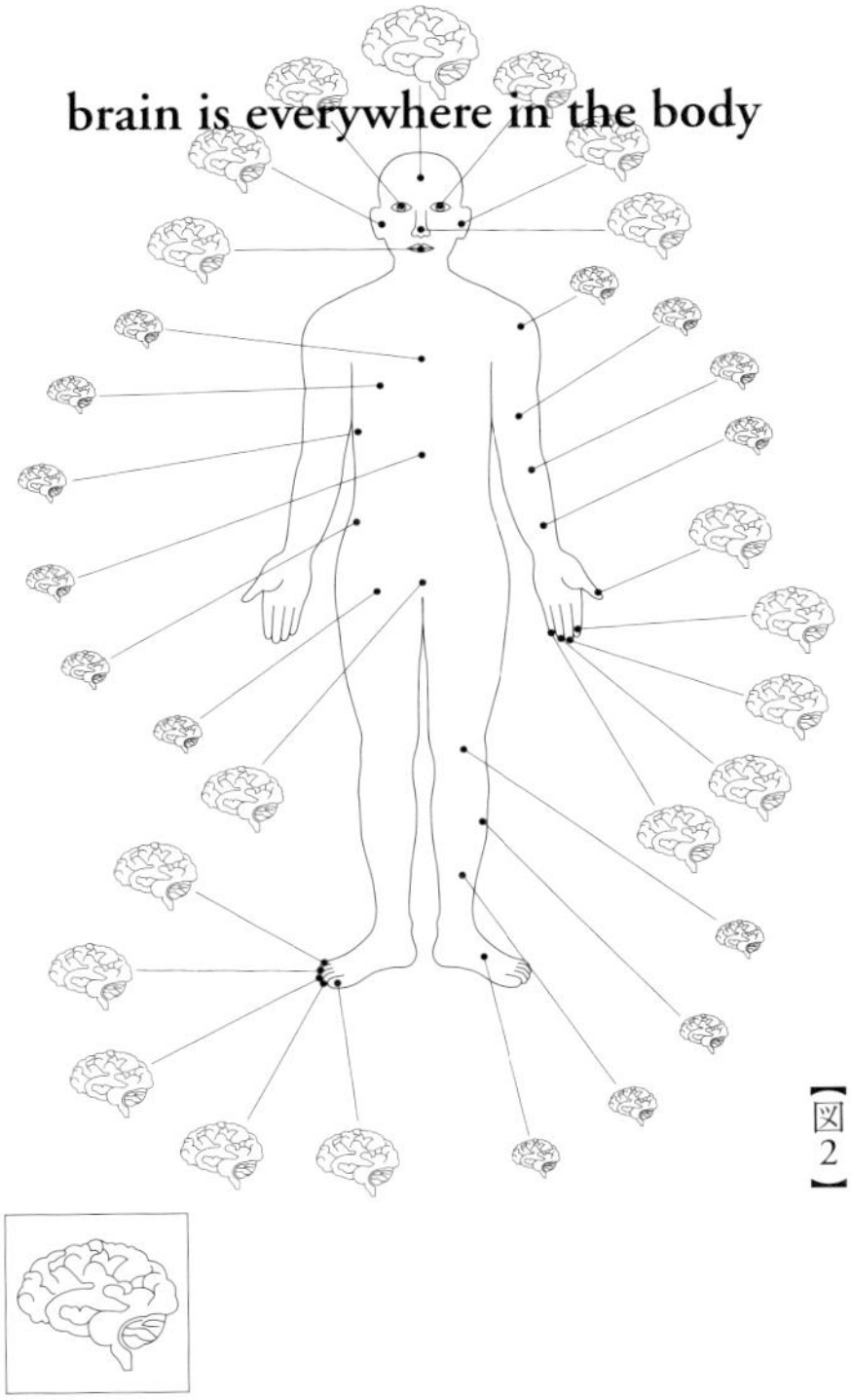
brain is everywhere in the body

【図2】

身体のあらゆる部分にある。このような八百万《やおよろず》の脳たちに対して僕らは仕事をしているという考え方である。情報の建築という考え方が、西洋的・分析的な発想であるとすると、これは東洋的な解釈かもしれない。どちらにリアリティがあるかは分からないが、いずれも僕らが仕事をする場所、つまり情報を受容する人間というフィールドについての私的な概念図である。

長野オリンピック開会式プログラム

紙をデザインする

さて、ここからは具体例をあげて情報の建築について話を進めよう。最初の題材は一九九八年の長野オリンピックの開会式・閉会式のプログラムのデザインである。これは、日本の伝統を踏まえつつ現代的なグラフィズムで世界からの来場者をもてなすという仕事であった。プログラムの基本的な役割は、セレモニーの内容をその展開に添って解説することである。具体的にいうと、善光寺の鐘の音を合図にはじまり、御柱立ての儀式が行われ、横綱が登場する、やがてオリンピック旗や選手たちが入場し、聖火が点灯されて開会が宣言される、その一連の流れをこのプログラムでは表現している。日本語を縦組みに、仏語と英語を横組みにした左開きのレイアウトは、こういう国際的な舞台でははじめての試みであり、このデザインに関してもお話したい点は多い。しかしここで取り上げたいのは中身のグラフィックではない。そのプログラムのために用いた素材についてである。

この仕事の最初に考えたことは、このプログラムを冬のオリンピックの記憶をとどめるメディアとして、忘れがたい印象を持つものに仕上げることだった。開会式のセレモニーを体験する。それは選手にとっても観客にとっても、また関係者にとっても切実な体験であるはずで、それを保存する記念碑としてこのプログラムを機能させてみたいと考えたのである。そのアイデアは表

開会式プログラム／御柱立て

閉会式プログラム／土俵入　イラストレーション・谷口広樹

紙の素材に集約している。すなわち、冬の祭典にふさわしい「雪と氷」のイメージを喚起させる「紙」をデザインしたのである。具体的には、表紙に配置される文字を全てデボス（型を押し付けて凹ませて表現する技法）で行えるような白いふっくらとした紙、しかも凹んだ文字の部分が氷のように半透明に透ける効果を生む紙を製紙会社に依頼して開発してもらった。オリンピックをサポートしていた製紙会社が意欲的に取り組んでくれたおかげで「雪と氷の紙」は意図どおりに実現した。文字の金属型に熱を加えて紙にプレスすることによって、凹むだけではなく紙繊維の一部が溶けて半透明になる。ここでは、写真のみでお見せすることしかできないが、触覚を働かせてご覧いただきたい。ふっくらとした白い紙に仏語、英語、日本語の文字が刻印されて凹んでいる。その凹んだ部分が氷のように透過している。

雪を踏む記憶を呼び覚ます

僕らは記憶の片隅にこんな光景を持っているはずだ。雪が一晩降り続いた翌朝。それは小学校の校庭かもしれないし街の目抜き通りかもしれない。降り積もった雪でふっくらと盛り上がった白い平面はまだ誰にも踏まれていない。そこを最初に歩く記憶。自分の足が綿のような新雪を踏みしめていく。足跡が半透明の氷のように地面の黒さを透かせてみせる。そして点々と残る足跡……。そんな記憶がこの紙に触れた人々のイメージの中に呼び覚まされ、加えられていくのではないか。僕はそう考えたのである。「雪と氷の紙」は、そういうイメージを受け手の頭の中に呼

デボスされて凹み半透明になった文字

雪を踏んだ記憶との連繋

PROGRAMME DE LA
CÉRÉMONIE D'OUVERTURE
OPENING CEREMONY
PROGRAMME
7 FÉVRIER 1998
7 FEBRUARY 1998
NAGANO

開会式プログラム表紙

び起こす引き金である。この仕組みを計画するプロセスがデザインである。

雪と氷のイメージを生み出す柔らかい素材の中央に、深紅の聖火を箔押しで配した。光沢のある赤い炎がふっくらとした雪の中央にずしりとおさまっている。この触覚のコントラストによって表紙は完成する。プログラムはそういう複合的なイメージを冒頭に持ちながら、先に紹介した中身のグラフィックへと続いていくのだ。もちろん、このプログラム自身が情報の建築ではない。プログラムという一連の情報に触れる人々の頭の中に、それは構築されていくのである。

病院のサイン計画

空間をやわらげる触覚

山口県光市にある梅田病院は、産婦人科と小児科の専門の病院である。この病院の設計をした建築家の隈研吾に紹介されて梅田馨院長と出会い、僕はこの病院のサインシステムのデザインを手がけることになった。そしてこの仕事からも「情報の建築」についてのヒントを得た。

この病院のサインのもっとも大きな特徴はサイン本体が「布」でできているという点である。その第一の理由としては、やさしい空間を設計してみたいと考えたからだ。この病院で時間を過ごす人々は、いわゆる病人ではない。妊産婦が出産の前後を安静に過ごす場所である。普通の病院であれば、少なからずぴりっと張りつめた空気が必要である。信頼できる高度な医療技術がそこにあるという引き締まった緊張感は、傷ついた体をそこにゆだねる患者にとってはやはり大きな安心材料になる。親しみやすい医療という発想もあるかもしれないが「民宿」のような感じの病院ではとても手術なんか受ける気にならない。だから潔癖な婦長さんのような、厳しすぎるくらいの緊張感が病院という空間には必要なのだ。しかし出産前後の時間を過ごす場所であるならば、もう少し別の観点から空間を捉えてもいいかもしれないと考えたのである。

一方、今日の少子社会は病院経営にも変化を生んでいる。減少していく妊婦は競争して獲得すべきお客さんになった。したがってホテルのようなサービスを売り物にしている病院や、シーツから化粧台まで一流ブランドをそろえた病院などが登場して、顧客の差別意識を刺激している。さらには病院ではなく、美しい南の島で「海中出産」をするためにわざわざ出かけるという妊婦の話も耳にする。近ごろの出産はある意味では大変なイベントになってきているようだ。

しかし、梅田病院からはそういう変わったことを依頼されているわけではない。この病院は、母乳による育児の奨励や、母乳が出ない場合でも母親の腕にできるだけ乳幼児を置くという母子のスキンシップを重視する育児指導を実践し、ユニセフとＷＨＯより「Baby Friendly Hospital」の認定を受けているような、技術や考え方の進んだ病院である。そういう考え方がさり気なく来院者に伝わるデザインを考えてほしいという依頼であった。

白い布を清潔に保つというコミュニケーション

結果としてサインには白い木綿を用いることにした。台座の部分は壁や天井に固定されているが、室名や誘導のための情報がプリントされたサイン本体は白い布で、ある部分はソックスのように、ある部分はシーツを替えるように、台座から着脱できるようになっている。

基本的に布はやわらかい。だから、このサインを取り付けてある空間もやわらかい表情になる。しかしさらに重要なポイントがある。サイン本体が白い木綿の布でできているということは、とても汚れやすいということである。布製のサインがぶらぶらしていると子供たちはきっと興味を示し、これに触れようとするだろう。チョコレートを食べたばかりの手でこれを触るに違いない。しかしながらこの場合、簡単に汚れてしまうことを承知の上で白い布を配しているのである。すべてのサインは台座に対してソックスやシャワーキャップのように着脱フリーに設計してある。ゴムが装着されていて取り替えが容易なのだ。だから汚れたらすぐにクリーニングして取り替えられる。

しかしなぜそういう面倒なことをするのか。汚れに対処するならはじめから汚れにくいビニールか、汚れの見えにくい色でサインをつくっておくのが知恵というものではないのか。そう考えるのが普通かもしれない。しかしここでは発想を逆にした。わざわざ汚れやすい綿布を用いたのである。それは「汚れやすいものを常に清潔に保つ」ということを実践してみせるためである。汚れやすいものを常に清潔に保っていることは、最上の清潔さを来院者のために確保していると

toilet
for
ladies

4F
4
401号室—407号室
ナースステーション

新生児室サイン

白いテーブルクロス

いうことの表明になる。お産をする病院の室内にやさしさはほしいが、さらに言えば「最良の清潔さ」こそ最も必要なものだ。最適に管理された清潔さこそ出産前後の時間を過ごす人々に上質な安心を与えられる。ここではサインを白い布でつくり、それを常に清潔に保つことで、最上のホスピタリティの存在を来院者にアピールしているのである。

これは、一流のレストランが白いテーブルクロスを用いるのと同じ原理である。ファーストクラスのレストランのテーブルクロスはしみひとつない真っ白である。料理を置くテーブルは非常に汚れやすい。だから汚れを隠そうとするなら濃い色のテーブルクロスやビニールのテーブルクロスを使えばいい。しかし上質なレストランは、最高の清潔さを備えたサービスを表明するために、あえて真っ白なテーブルクロスを用いるのである。

サインは本来、誘導の機能を持った単なる「指示」であるが、それが空間に存在する以上はなんらかの物体であることを逃れられない。つまり、空中に文字や矢印だけを浮遊させておくことはできないということだ。だからサインは、一般的にはアクリルや金属、木やガラスといった物質の上に表示する。これはサインデザインのひとつの宿命である。ここでは、サインの宿命である物質性を別の目的で生かすことで、誘導標識とは異なるコミュニケーションを生み出すことを試みている。すなわち、白い布サインの運用を通して、梅田病院を体験する人々の脳裏に「清潔さ」が刻印されていくことを計画しているのである。

松屋銀座リニューアルプロジェクト

触知できるメディア

二〇〇一年の三月、銀座通りに面した百貨店「松屋銀座」がリニューアルオープンした。いわゆる「白い松屋」の誕生である。このプロジェクトは店舗空間から包装資材、広告など様々な領域にわたる総合的な仕事であったと同時に、それぞれのデザインの局面に「肌合い」とでもいうべき触覚性を折り込んでいった仕事である。

「百貨店」というよく知られた商業空間を、鮮度のあるメッセージとして流通させていくには既に試みられている手法でコミュニケーションをはかっても効果は薄い。通常のメディアでキャンペーンを行ったり、ウインドウディスプレイに映像をあしらったりするような小手先の操作ではなく、物体として存在する百貨店そのものを「触知できるメディア」として再構築することが有効だと考えた。百貨店はバーチャルなショップではなく、人間が直接身体を運んでいって買い物という体験をする場所である。だから触覚的な「空間の肌触り」をデザインすることによって、これまでにない個性をもった店舗の印象を顧客の頭の中につくり上げていくことができるだろうと思ったのである。イメージの統合や操作を行うデザインとしては、マークやロゴタイプのようなシンボルを効果的に運用していくＶＩ（ヴィジュアル・アイデンティフィケーション）という手法がある。これは企業イメージやブランドに対する優れた認知効果を生み出す手法であるが、目に見える記号をコントロールすることだけで生み出せる成果にはどうしても限界がある。先に述べた通り、人間はとても積極的な感覚の受容体である。そういうセンシュアスな受け手に向けて「新しい松屋銀座がどう触知されるべきか」を計画していくという方法は、商業空間のコミュニケーションに新しい感覚の地平をひらいていくことになる。松屋銀座のリニューアルプロジェクトは、そのような仕事であった。

松屋銀座が構想したリニューアルの指針は「生活デザイン」から「ファッション」へと百貨店のイメージの主軸をシフトさせることにあった。これまでの松屋のイメージの中心にはファッションよりもむしろ良質な生活の実像があった。だから流行の先端を求めてというよりは、質のいい生活を探しに松屋に行くというような印象が強かった。これはこれで素敵なことだったと思うが、ファッションを強化すべしという経営判断から、世界のベスト二〇位に入るファッション・ブランドが一挙に九つ導入されることになった。さらに松屋のリニューアルに数カ月先行して隣接地にルイ・ヴィトンのグランド・ショップがオープンすることになった。要するに松屋銀座は内外に「ファッション」を強力に抱え込むことになったのである。

模型で確認する「白」と「肌触り」

当初、このリニューアルに関係して僕に依頼されたのは広告の立案であった。しかし先ほど述べたとおり、百貨店という既成のイメージを鮮度のある情報の束に置き換えていくためには、広告だけではとてもおぼつかない。あらゆるデザインをそこに集約すべきだと感じた。

最初に着手したのは模型の制作である。本書のテーマに即して言うならば「情報の建築模型」ということになろうか。この模型づくりを通して先のアイデアをまとめていった。このデザインの重要なポイントは、個性の強い世界のファッション・ブランドを、松屋銀座がいかに自然に包括できるかという点である。ブランドを百貨店に無理やり押し込んだような印象は避けたい。そのためにはそこにエレガントな包括力を発生させる因子を働かせなくてはいけない。その因子として僕はふたつのものを考えた。ひとつは「白」という色彩。もうひとつは「テクスチャー」すなわち触覚を刺激する物質の肌触りである。

この「白」と「テクスチャー」がどう働けば、松屋のイメージの刷新に役立ち、世界のファッション・ブランドを包括する力を生み出せるか。それを模型という「見て触れる物体」を通して表現してみたのである。

模型制作の手順はこうである。まず、松屋のマークがバランスよく並んだパターンを設計し、それを縦三〇センチメートル、横五〇センチメートル程度の白い上質な紙にエンボス（凸状に盛り上げる加工）する。その紙をソファのクッションほどの厚さに積み上げ、その白い優雅な固まりを松屋本体に見立てる。そこに四角い穴を九つあけて、そこにそれぞれ透明アクリルの立方体を埋め込んだ。これらのイメージは写真を見ていただくしかないだろう。模型の、向かって左に見える大振りな透明ブロックはルイ・ヴィトンのグランド・ショップである。九つのアクリル・

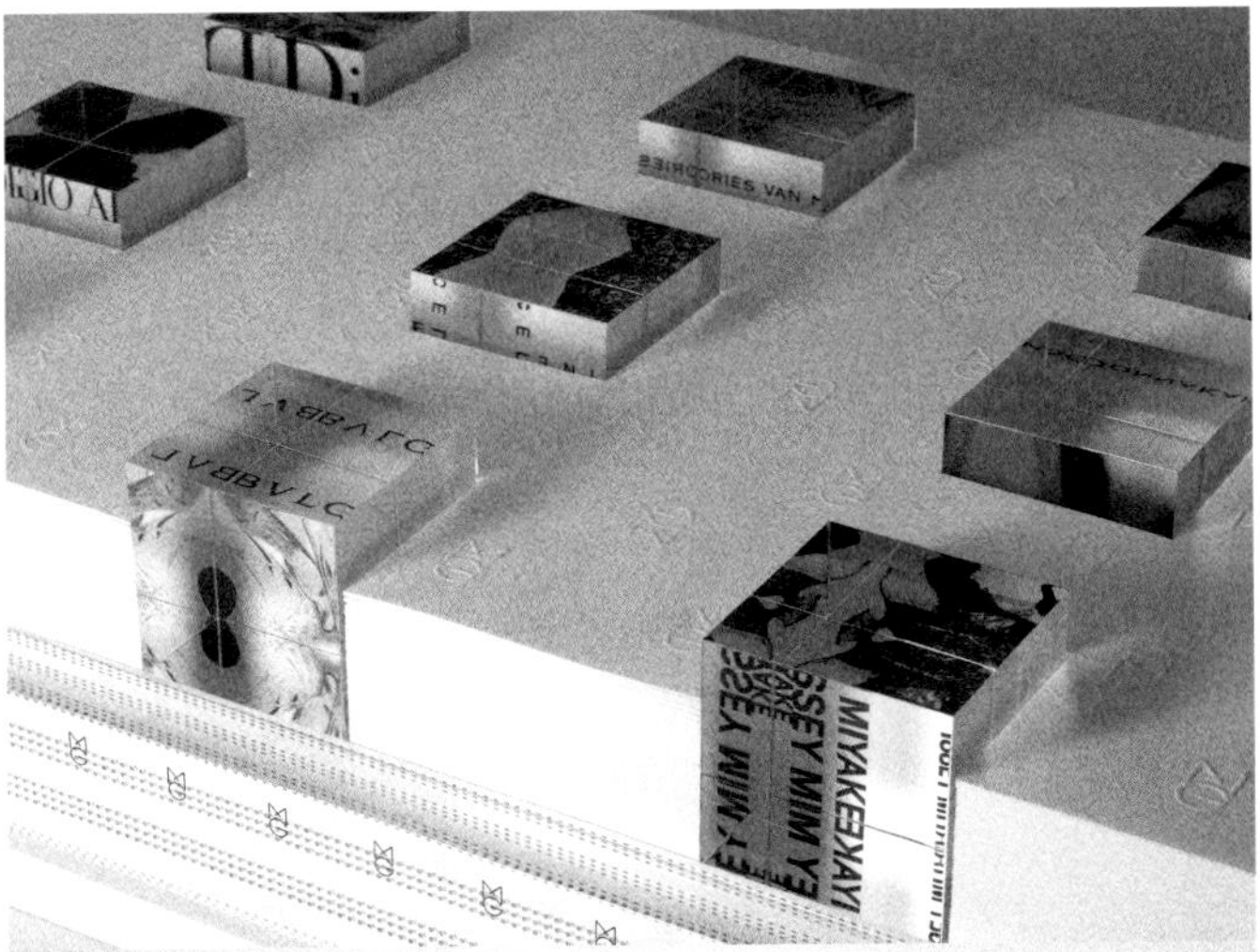

松屋銀座／情報の建築模型

キューブの裏側に、各々のブランドをイメージする写真を配置すると、アクリルの屈折によって写真が不思議な立体感で浮かび上がってくる。この透明なキューブがブランドの店舗あるいはウインドウのイメージである。白いやわらかな紙の立体は、不思議なきらめきで存在を主張するアクリル・キューブを包括する新しい松屋銀座のイメージである。要するに優美なテクスチャーを持った白い立体が多様なブランドの個性を抱くという姿。

母体となる松屋に「白い紙」を配したことには大きな意味がある。鮮やかなブルーだった松屋のコーポレート・カラーを「白」に切り替える提案がここにある。松屋銀座がブルーのままではアクリルのキューブは輝かない。むしろ、従来の生活デザイン百貨店の青い紙袋に世界のファッション・ブランドを押し込んだような違和感を生む。その組み合せから導かれる最悪のシナリオは、そこに「免税品店」のようなイメージが発生することだ。ブランドが第一でそれが入っている場所は二の次。そうなってしまってはその商業ゾーンを松屋銀座と呼ぶ理由すら希薄になるかもしれない。ブランドの魅力を店内に配するのであれば、それを輝かせるべく松屋には良質な背景としてふるまう優雅さと余裕が必要であり、そのためにはすべてのブランドを包み込む、ひとまわり大きなアイデンティティが必要である。つまり、先んじてプレステージ性の高い松屋銀座という空間があり、その松屋の選定による優れた世界ブランドが店内で創造性を競っている。そういうふうに見えなくてはならない。

白という色彩には「背景性」「包括力」「現代性」「品位」「高級感」「刷新性」などを想起させ

る力がある。よき背景性と包括力。現代性と品位。それらのバランスを白という色彩に託したのである。

もうひとつ、さらに重要なことは、紙にエンボスのテクスチャーを付与したという点である。これは、白を単なるプレーンな色彩として運用するのではなく「物質的な手触りや触覚的な奥行きを持つ白」を示唆している。つまり「センシュアスな白」が新しい松屋のイメージの根幹を支えるという発想である。

この模型を中心とした提案は、松屋の古屋勝彦社長をはじめとするトップマネジメントの迅速な判断で了解され、プランは実行のステージへと進んだ。コーポレート・カラーを含んだＶＩの変更、サインの刷新、ショッピングバッグや包装紙の刷新、インテリアの色調の調整、広告計画、工事中の仮囲いのデザイン、さらには建築の外壁のパターンなどのデザインがこのイメージの模型から展開していった。

触覚的なデザインの連繫

最初に実現したのは工事用の仮囲いである。仮囲いは銀座通りに面して幅一〇〇メートル、高さ五メートルという巨大なスペースになる。しかしこれは都の条例で広告メッセージのためには使えないことになっている。銀座中央通りという一級の国道に面していることもさらに強い規制の対象となった。様々な案を検討したが、結果としてここに配することになったのは巨大なジッ

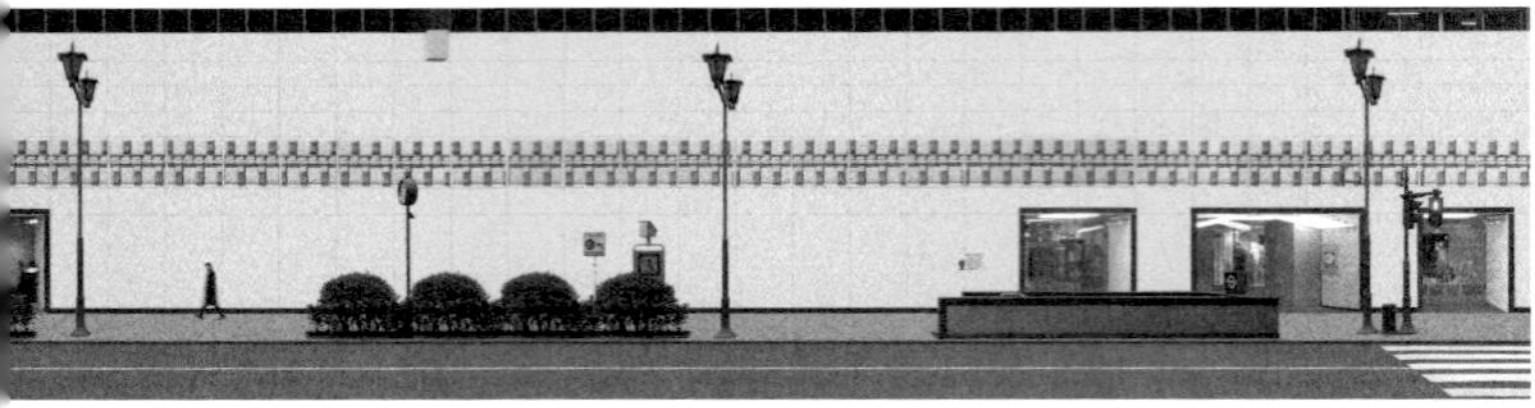

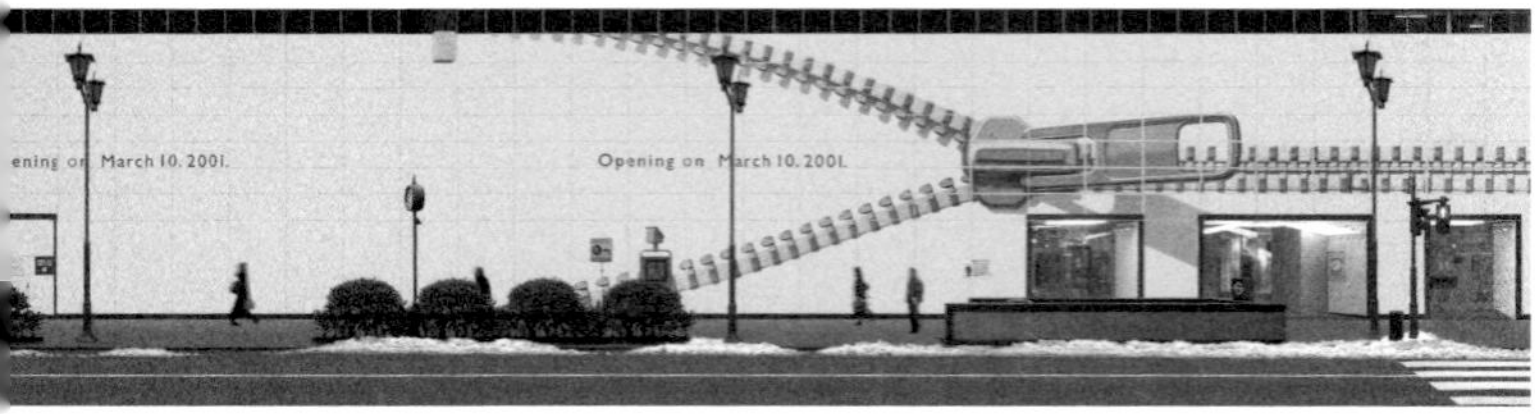
Opening on March 10. 2001.

+F

二〇〇〇年九月二〇日

二〇〇〇年一〇月一六日

二〇〇一年一月二〇日

二〇〇一年三月八日

MATSUYA GINZA
+F
+F
+F
+F
+F

matsuya GINZA
+F
+F
+F

パーである。白い外壁の中央に横一文字にジッパーの金属部分を配する。そうすることで外壁全体が巨大な白いジッパーに見える。これが工事の進行に合せて何段階かで開いていくというアイデアである。開きはじめたジッパーの絵柄は、壁ごと右に移動させていくことで徐々に開いていくように見える。これは言わばリニューアルへの期待感を演出するプロローグである。

完成した松屋銀座の正面部分は、ガラスで覆われている。この基本的な建築は僕の仕事ではない。ただ、ガラスの背面に白く塗装された鉄板が配されており、その鉄板の表面は規則的な丸いドットパターンが凸状にびっしりと配列されている。この隆起したドットを、触覚を喚起させるデザインの一環として提案した。建築計画においては、正面のガラスの外壁の上下に照明が仕込まれることになっていて、夜になるとこれが点灯する。したがってこの光を効果的に反射・増幅するために白い外壁には凹凸を持つ反射体が必要であった。建設会社の提案ではシルバー・メタリックの反射板をびっしりと白い壁面に張りめぐらせるというものであったが、総合的なデザインの整合性について慎重に検討を重ねた結果、白い外壁鋼板そのものに半球状の凸エンボスのパターンをプレスする案で決まった。これが結果として建築と全体のデザインを連繫させるとても重要なポイントになった。外壁パターンを半球状のドットの集積として表現したことによって、光はエレガントな微粒子となって銀座通りに放射され、正面の外壁に、模型でイメージしていたような優美なテクスチャーが誕生したのである。

同時に進行したのがショッピングバッグのデザインである。ショッピングバッグや包装紙は店

Mラップを用いたショッピングバッグ

の品格を顧客に伝える重要なメディアである。慎重に管理されたブランド店で買い物をした経験のある人なら誰もが体験しているように、ここにも人間の五感に訴えるポイントがある。素材の選択がメッセージになる。したがって、ブルーのショッピングバッグに替えて、模型で表現した「上質な白い紙」のイメージをここに展開した。つるつるした素っ気ない紙ではなく、それに触れる指先に豊かな触覚を伝えてくれる紙を、紙商社や製紙会社の協力を得て開発した。百貨店のショッピングバッグは、想像以上に基準が厳しく、引き裂き強度や対磨耗性、印刷インクの色落ちなど、いくつもの点で高いハードルがある。試作した袋におもりを入れて、白衣を着た検査官が何百回もそれを持ち上げたり降ろしたりしてその強度をテストする。そういう検査を経て完成したのが「Mラップ」と命名された紙で、これは実に触り心地がいい。前頁の写真は完成したショッピングバッグである。松屋のマークが模型の紙と同様のパターンで配されているのがご覧いただけるだろうか。

一方、百貨店というのはその名のとおり実にいろいろなものを売っている。中心がファッションに移行したからといっても、地下のお惣菜売り場やお弁当売り場も大事である。生活雑貨や文房具だって重要な販売商品であることに変わりはない。したがってファッションに対応したショッピングバッグだけでは不都合が生じる。お弁当がそういう袋に入るとなんだか化粧品臭くてよろしくない。そこで、いわゆるファッション臭のない、お弁当や体重計を入れても違和感のない包材のラインも必要になってくる。そのためにショッピングバッグをもうひとつデザインした。

雑貨袋や包装紙に展開したドットパターン

+F
MATSUYA GINZA
+F
MATSUYA GINZA
+F
MATSUYA GINZA

これは白地の紙に、ライトグレーの細かいドットパターンで、松屋のマークを浮かび上がらせたものである。このパターンは包装紙や雑貨袋にも展開された。素材としてはプレーンな白いクラフト紙を用いているが、ドットパターンによってほどよいテクスチャーが生まれる。そして、注意深い読者はもうお気づきかもしれないが、このパターンは外壁のドットパターンに連繫しているのである。

要するに、白という色彩の中に触覚的な奥行きを構築していく、という方針がこのようなディテイルとして具体化され、響きあって百貨店が生まれ変わった。ショッピングバッグの効果は予想どおりであった。白い百貨店の内外を、テクスチャーのある白いショッピングバッグを下げた無数の人々が行き来する。

改装されたインテリアの色調も白で統一され、壁も床材も白に近い色相におさまっている。サインや標識も全て新しくなった。サイン計画ではファッションの松屋に相応しいピクトグラムに重点を置き、サイン本体は素材感をむしろおさえた白いプレーンな素材を用いた。このようにして、センシュアスな環境としての「白い松屋」が誕生した。

銀座の出来事として

最後に広告の話をして松屋銀座の話を終わりたい。写真はリニューアルオープンの告知ポスターであるが、このポスターは文字以外の絵柄はすべて「刺繡」で表現されている。つまり、フェルト布のような材質の紙に、実際に刺繍で表現されている。今日、縫製工場のミシンはかなりの部分でコンピュータ化が進んでおり、シーツを縫うような大型の刺繍機械は、発想を変えると印刷機のようにも使える。そして数量によっては印刷よりもむしろ安価にポスターが制作できるのである。大阪にある縫製関係の工場に足を運んで、そういう状況が分かったので「肌触りのあるメッセージ」のシンボルとして「刺繍のポスター」をつくったのである。

広告を打つといっても、百貨店が銀座という限定された場所にある以上、広域をカバーするマスメディアを使うよりローカルなメディアをていねいに使った方が効果的な場合がある。銀座にある百貨店は、銀座を歩いている人々に鮮烈なメッセージを与えたい。要するにその場でしか体験できない「銀座の出来事」としてメッセージを送りだしてみようと考えた。ポスターの端には「ジッパー」を縫い付けた。ジッパーはポスターの物質性を象徴するものでもある。これによってポスターは次々と連結されていき、それは地下街の長い壁面や、円柱など様々な場所を自在に覆っていった。刺繍されジッパーで繋がれたポスターは視覚的な情報を超えて、銀座を楽しむ人々に、街のパフォーマンスとして刺激を与えていったのである。

プロローグで仮囲いに用いたジッパーはここで再登場する。ジッパーはファッションの暗喩でもある。こんなふうにして、新しい松屋銀座は、この場所を訪れる顧客の頭の中にリニューアルを果たしていったのである。

情報の彫刻としての書籍

僕は二〇〇〇年にふたつの展覧会を企画した。ひとつは既にお話した「リ・デザイン――日常の二一世紀」であり、もうひとつは「紙とデザイン」という展覧会である。これは五〇年の歴史を持つ日本のファインペーパー（色やテクスチャーの豊富な紙）と、デザイナーたちがその紙を用いて成し遂げてきた仕事を同時に振り返ってみるという内容であった。ファインペーパーの多くは書籍のデザインに用いられてきた経緯があり、結果としてこの展覧会は日本の書籍デザインの五〇年を振り返る契機にもなった。さらにはこの展覧会自体も本にまとまっている。そんなことから少し「書籍」というものについて考えておきたい。

僕は書籍のデザインを手がけることが多く、物事をそういう形にまとめることが好きでもある。しかし今日、情報テクノロジーは加速度的に進化し、情報の形も様々になった。そんな状況にあっては、書籍はもはやメディアとしての主役を降りたのだと考えるべきかもしれない。情報を流通させる速度や密度、そしてその量などに関しては、書籍と電子メディアでは既に比較にならない。しかし一方で、書籍の役割そのものがついえ去ったとも考えにくい。おそらくは、このあたりで一度、僕らは「書籍とは何か」ということを再確認する必要があるだろう。それをしないまま、従来の方法で書籍のデザインを続けていくのはいかにも時代認識が甘いように感じるのである。

冷静に眺めてみると、紙という素材はメディアとして随分と重い責任を担わされてきた。特に情報の流通速度がどんどん加速していく時代においては、紙はマテリアルである前に「無意識の平面」であったといっていいかもしれない。万年筆で手紙を書くにも、プリンターで画像を出力するにも、まずはニュートラルな白い平面としての紙がそこにあった。それは1対$\sqrt{2}$という合理的な比率を持つ白い画面で、物質性はむしろ捨象され、映像や文字を運搬する抽象的な媒介物として認識されていた。世界の三大発明として紙が与えられている名誉もまさにそういうニュートラルなメディアとしての性質に対してであって、天然物に触れる喜びを指先に運んでくれる物性に対してではない。だからモニタースクリーンが常に身近に置かれるようになったとき、人々はその素材としての性質や魅力を考慮することなく「ペーパーレス」という言葉を口にしたのである。

そういう観点から考えると、今日、紙はメディアの主役を降りて、実務的な任務から解放されたおかげで、再び本来の「物質」として魅力的にふるまうことが許されるようになったのではないか。僕はそんなふうに思うのである。

確かに書籍は、一定の情報をストックするメディアとしては大袈裟かもしれない。重いし、かさ張るし、汚れるし、風化もする。デジタルデータにして格納すればごくごく小さなメモリーの中におさまる程度の情報が、わざわざ書籍の大きさに仕立てられているわけである。しかしながら情報は、大量にストックしたり高速で移動させたりするだけのものではない。むしろ、情報と

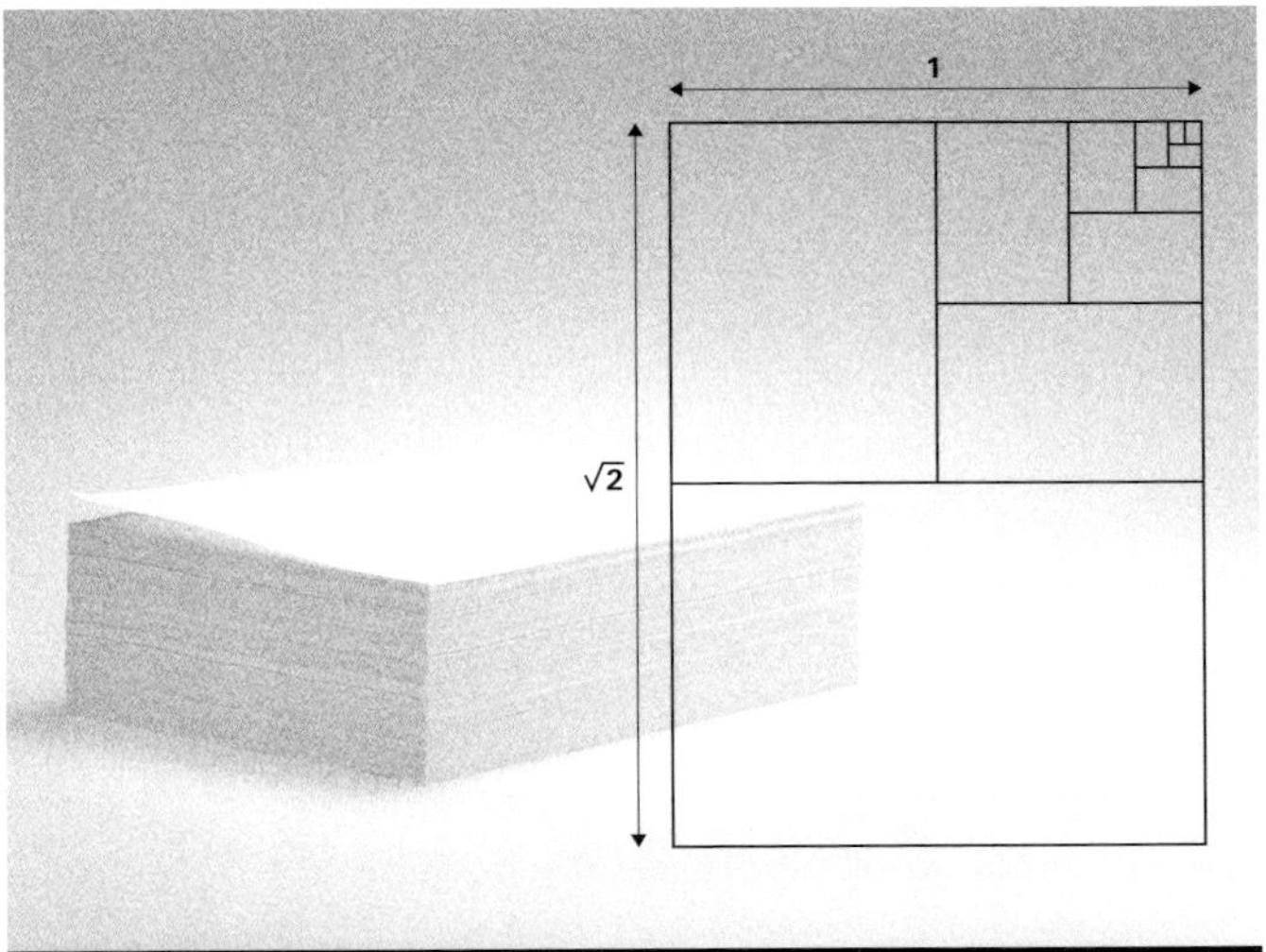

二分されても縦横比の変わらない1対$\sqrt{2}$の紙

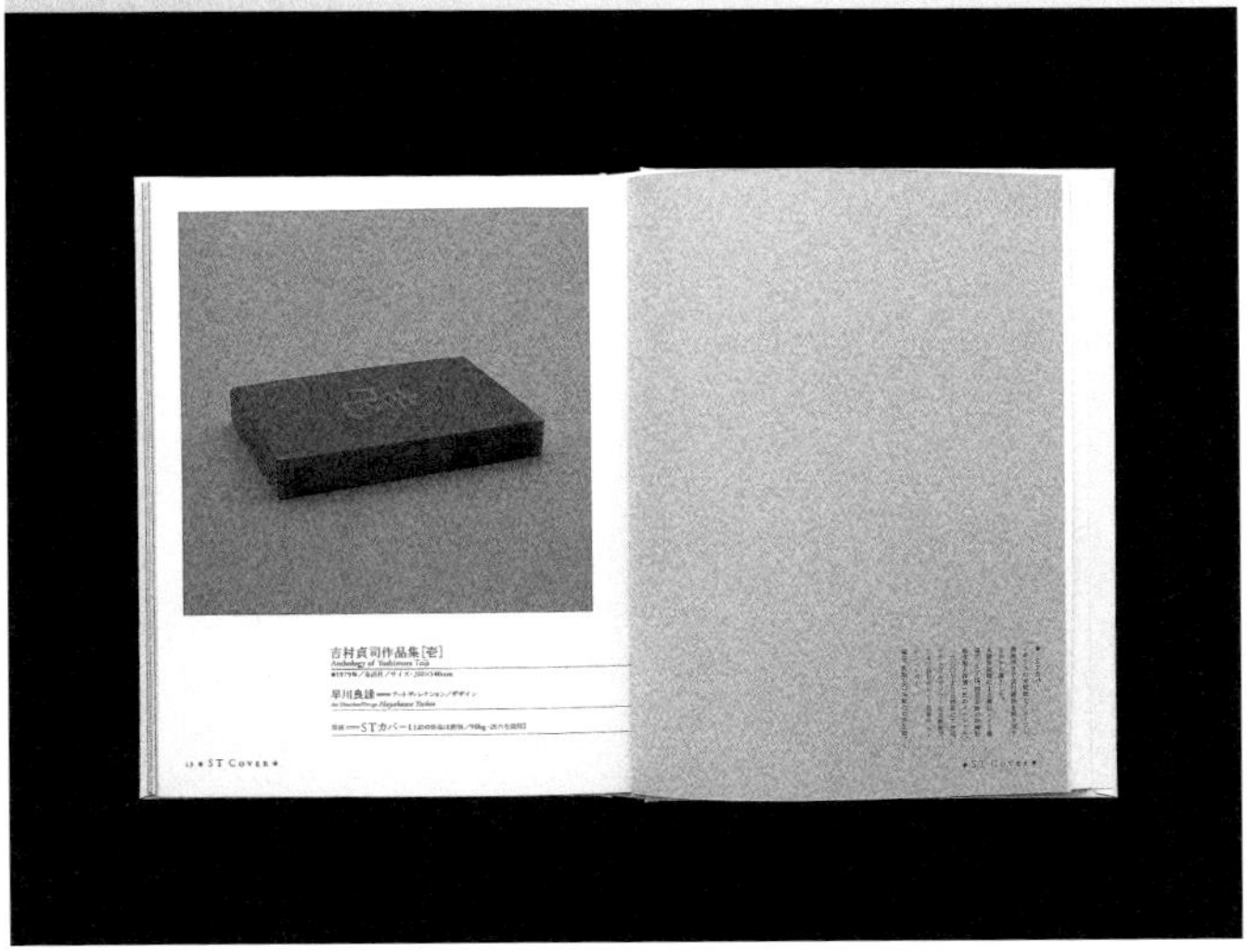
書籍「紙とデザイン」

個人の関係を冷静に洞察するならば、情報をいかにじっくりと味わえるかというポイントが重要になってくるのである。書籍に関していうならば、適度な重さや手触りを持った素材を用いて表現された情報の方が、小さく格納されて存在感の希薄になった情報より人に心地よい使用感と満足をもたらせるかもしれないのである。

それはたとえば、食物と人間の関係に似ているかもしれない。ひとつの卵をどうおいしく食べるかという問題に人類は膨大な知恵を使ってきた。それを調理する器具の多さ、レシピの多様さ、そしてそれをサーブする方法や食器の多様さを想像していただきたい。卵を一度に一〇〇〇個調理できる装置や、五〇万個もストックできる倉庫があるということも有益なことに違いないのだろうが、それを味わおうとする「個人の食欲」にとってはさしたる意味がない。ゆで卵を食べたいときには「鍋」を使って人はそれを好みの固さにゆでるだろう。そしてエッグスタンドにそれを載せ、指先でせっせと殻をむき、優雅なソルトシェイカーで塩をかけた後に、銀の匙でそれをすくって食べるはずだ。それが仮に面倒でも、そのように供された卵はおいしく味わえるに違いない。人間と情報の関係も似たようなところがある。電子メディアではなく紙を選ぶということは、その素材の性質や特徴を了解した上で、それを生かし、たしなみ、味わうということである。

僕は現在でも書籍というメディアが有効であると思うし、その効果は社会が考えているほど減退してはいないと考えている。あなたが今、手にしているこの本にしてもそうだ。自分の頭から

書籍「Crossing the parallel」

書籍「デザインの原形」

生まれ出た言葉の数々を、閲覧しやすい便利な場所においておけばいいのであれば、ウェブの中か、あるいはCDのようなものに格納するという方法もある。しかし僕はこうして本というメディアを選んでいる。それはこの情報を、紙に刷られた文字として味わっていただきたいからであり、手ごたえのある重量を持った物質として人に手渡したいからである。また、電車の中で鞄から取り出して気ままにページをめくってもらいたいからであり、時間が経てば風化して骨董品になってくれるのがいいと思うからである。もちろん、デザイナーとして、みなさんの手のひらの中でこの本がいい雰囲気を醸し出すように工夫してもいる。要するに、情報を右から左へと移すのではなく情報を慈しむという観点で書籍の魅力を意識している。

僕はノスタルジーに捉われて紙を贔屓しているわけではない。僕は電子メディアが嫌いではないし、電子メールがないともはや困惑するほどに、既に情報技術とは深い関係を結んでしまった。だからこそ、紙メディアを用いる場合には、無意識にではなく、はっきりとした意志を持ってこれと向き合いたいと思うのである。電子メディアの台頭のおかげで、紙はようやく本来の魅力的な素材としてふるまうことができるようになったのだ。

電子メディアが情報伝達の実質的な道具であるとすれば、書籍は「情報の彫刻」である。だからこれからの書籍は、紙というメディアを選んだ以上、その物性がいかに生かされているかという評価にさらされることになるだろう。これは紙にとっては幸福な課題である。僕は今ではそういうつもりで書籍のデザインを行っている。

電子メディアもまだまだ進化の途上である。だから当分の間、電子メディアと書籍は、互いに影響を与えあい、並列にそれぞれの道を深めあっていくことになるだろう。

書籍「RE DESIGN」

書籍「向井周太郎著　かたちの詩学」

第四章　なにもないがすべてがある

田中一光から渡されたもの

二〇〇一年の八月に田中一光から電話があり、数日して田中氏、小池一子氏と銀座の喫茶店でお会いした。話は無印良品の仕事についてであった。具体的には無印良品のボード・メンバーとなって、アートディレクションを担当してほしいという依頼である。時代が変わりつつある中で自分たち創業当時のメンバーの役割も変わっていく。自分の影響力のあるうちに、新しい世代に引き継いでいきたいという田中氏の考え。その思慮と決断が目の前にぽんと置かれた。もちろん、田中氏自身は引退するということではなく、仕事を進めながら引き継いでいきたいという意向であった。

「無印良品」は日本で生まれた独創的な商品コンセプトであり、既に大きな実績をおさめて社会に認知されている。時代や社会環境が変化していく中で、逸話的な成果をあげたプロジェクトを引き継ぐことは決して楽な仕事ではなく、むしろ難しい重責を背負うことになる。華やかな時代の後にやってくる低成長時代の価値観を模索するのは僕らの世代の宿命なのだろうか。

それから一日、この仕事に自分がどんなヴィジョンを描くことができるかを考えた。そのうちに「世界」という広がりの中で、このブランドの未来を考えていくにつれ、不思議と胸の膨らむような高揚感を覚えた。やがて「WORLD MUJI」という言葉が浮かんできた。世界のブランドに対抗できる可能性をこの仕事は持っている。そう考えると、これを継承・発展させるお手伝いをすることに少なからぬときめきを感じたのである。

翌日、申し出を受ける旨を両氏にお伝えした。ボード・メンバーに加わる際に、もうひとり、同世代のデザイナーをメンバーに加えることを提案した。プロダクトデザイナーの深澤直人である。既に数年前から、無印良品のプロダクトデザインで優れた仕事をしていた深澤直人であり、そのボードへの参加が、これからの無印良品プロダクツの品質の再構築に絶対欠かせないと直感的に思った。深澤氏を田中事務所に同行し、田中氏に紹介したのが二〇〇二年の一月八日。饅頭とお茶をいただきながら、プロダクツの周辺を深澤氏が見ていくことなどを話しあった。

「この仕事は面白くて、夜も眠れなかったんだよ」

田中氏はそう語っていた。亡くなる三日前のことだ。無印良品のバトンはこのようにして、ぎりぎりに、先輩世代から我々の世代へと手渡されたのである。

無印良品の起源と課題

無印良品のコンセプトは、田中一光というクリエーターの生活の美意識と、堤清二という日本の流通産業を牽引した企業家のヴィジョンの交感から生まれた。一九八〇年の秋のことである。その基本はものの生産のプロセスを徹底して簡素化することで、非常にシンプルで低価格の商品群を生み出すことであった。「無印良品」の名称はコピーライターの日暮真三によるもので、「わけ（理由）あって安い」という当初のキャッチフレーズは無印良品のデビューへの動きに参加した小池一子の仕事である。当初は「西友」のプライベート・ブランドとして発足し、消費者からの順調な支持を獲得して成長、一九八三年、青山に第一号の路面店をオープンした。この店舗デザインにインテリアデザイナーの杉本貴志が参加している。

中身を直視する商品開発や簡素な包装形態、そして無漂白の紙素材の使用は、とてもピュアで新鮮な製品を出現させた。たとえばヒット商品のひとつ「われ椎茸」は、形を完全に保持したもののみが商品になりえていたそれまでの乾燥椎茸の常識をくつがえし、従来では排除されていたわれたものや形の悪いものばかりを選んで商品にしたものである。調理する際には細かく刻むので、茸の形が多少いびつでも実用面では同じこと。その発想の転換によって安い乾燥椎茸が商品化できた。紙についても同様。紙の原料であるパルプを漂白するプロセスを省略すると、紙はうすいベージュ色になる。無印良品はそれをパッケージ素材やラベルなどに用いている。それを徹底して行うことによって、そこに独特の美意識を体現した商品群が現れた。それらは演出過剰ぎみだった当時の一般商品と好対照をなすことで、日本のみならず世界に衝撃を与えた。もともとは、西友というスーパーマーケットのプライベート・ブランドとして開発された商品群であるが、それは生活環境に対する意識の高い消費者、あるいは洗練された着想に敏感な消費者たちに支持されてみるみる発展し、独立した「良品計画」という会社の商標となった。これは歴史的に見ても、日本の美意識を発信源とした画期的な商品コンセプトであり、世界に影響を与えた生活提案である。その店舗は現在、日本国内で二五〇を超え、商品アイテム数も五〇〇〇点を超えた。また、海外への出店も行って各地で大きな話題と反響を呼んでいる。

しかしながら、無印良品にも課題がある。発生当初はプロセスの合理化により圧倒的な価格優位を生んだが、今日の産業が労働コストの安い国でものを生産するようになったために、価格面での優位性が維持できなくなっている。同様の方法に徹すれば価格面での競争は可能だろうが、無印良品の思想はいわゆる「安価」に帰するものではない。コストを下げることに血眼になって大切な精神を失うわけにはいかない。また、労働力の安い国でつくって高い国で売るという発想には永続性がない。世界の隅々にまで通用・浸透する究極の合理性にこそ無印良品は立脚すべきである。したがって現在では、最も安いということではなく、最も賢い価格帯を追求し、それを消費者に訴求しなくてはならなくなった。

また、紙の無漂白という点についても、多くの紙は大量に漂白のプロセスを通るので、未漂白のパルプを用いることが必ずしもコスト減には繋がらず、場合によって特別扱いがコスト高を生むという矛盾に行き当たる。ベビーパウダーなど、無漂白のパウダーの方が漂白されたパウダーよりも高くなってしまうという現象もある。生《き》のまま、無垢のままが高コストに繋がる時代である。

さらに重要な問題は価格の他にある。つまり、プロセスを省くだけで自動的によい商品が生まれるとは限らない。ノートやわれ椎茸のようなものはいいけれども、たとえば「椅子」はどうか。プロセスを省略するだけでよい椅子ができるわけではない。椅子は極めて経験豊かな考察と設計、そして熟練の技術によって生み出される難度の高いプロダクトである。衣料品、生活雑貨、家具、家電、食品なども基本的には全て同様。五〇〇〇種類に及ぶ製品を販売しているということは、それらを組み合わせることで充足した生活環境が生み出されなくてはならない。何かを省略することだけで生まれた商品群は、どこかで潤いを失い、使用者にもの足りなさを感じさせてしまうという傾向を宿命的にはらんでいる。また、省略という手法は簡単にコピーされてしまうという弱点も持つことになる。製品に触れることで新しい生活意識が鼓舞されるような、そういう啓発性を持った製品が無印良品の理想である。作者やデザイナーのエゴイズムを排し、最適な素材で最適な形を探る中で、もののエッセンスが顕在化するような、独創的な省略ができれば理想的だが、それは「省略」というよりもむしろ「究極のデザイン」と言うべきだろう。発足当初は「NO DESIGN」を標榜していたけれども、実は無印良品の思想を正確に実現するためには非常にレベルの高いデザインが必要であるということが徐々に判明してきたのである。

「が」ではなく「で」

ところで、無印良品が目指す商品のレベル、あるいは商品に対する顧客の満足度のレベルはどの程度のものなのだろうか。少なくとも、突出した個性や特定の美意識を主張するブランドではない。「これがいい」「これじゃなきゃいけない」というような強い嗜好性を誘発するような存在であってはいけない。幾多のブランドがそういう方向性を目指すのであれば、無印良品は逆の方向を目指すべきである。すなわち「これがいい」ではなく「これでいい」という程度の満足感をユーザーに与えること。「が」ではなく「で」なのだ。しかしながら「で」にもレベルがある。無印良品の場合はこの「で」のレベルをできるだけ高い水準に掲げることが目標である。

「が」は個人の意志をはっきりさせる態度が潔い。お昼に何が食べたいかと問われて「うどんでいいです」と答えるよりも「うどんがいいです」と答えた方が気持ちいいし、うどんに対しても失礼がない。同じことは洋服の趣味や音楽の嗜好、生活スタイルなどについても言える。嗜好を鮮明に示す態度は「個性」という価値観とともにいつしか必要以上に尊ばれるようになった。自由とは「が」に近接している価値観かもしれない。しかしそれを認める一方で、「が」は時として執着を含み、エゴイズムを生み、不協和音を発生させることを指摘したい。結局のところ人類は「が」で走ってきて行き詰まっているのではないか。消費社会も個別文化も「が」で走ってきて世界の壁に突きあたっている。そういう意味で、僕らは今日「で」の中に働いている「抑制」や「譲歩」、そして「一歩引いた理性」を評価すべきである。「で」は「が」よりも一歩高度な自由の形態ではないだろうか。「で」の中にはあきらめや小さな不満足が含まれるかもしれないが、「で」のレベルを上げるということは、この諦めや小さな不満足をすっきりと取りはらうことである。そういう「で」の次元を創造し、明晰で自信に満ちた「これでいい」を実現すること、それが無印良品のヴィジョンである。

無印良品が手にしている価値観は、今後の世界全体にとっても非常に有益な価値観でもある。それは一言で言うと「世界合理価値＝WORLD RATIONAL VALUE」とでもいうべきもので、極めて理性的な観点に立った資源の生かしかたや、ものの使い方に対する哲学である。

多くの人々が指摘しているとおり、地球と人類の未来に影を落とす環境問題は、すでに意識改革や啓蒙の段階を過ぎて、より有効な対策を日々の生活の中でいかに実践するかという局面に移行している。また、今日世界で問題となっている「文明の衝突」は、かつては自由経済が保証していた利益の追求にも限界が見えはじめたこと、そして文化の独自性もそれを主張するだけでは世界と共存できない状況に至っていることを示している。利益の独占や個別文化の価値観を優先させるのではなく、世界を見渡して利己を抑制する理性がこれからの世界には必要になる。「批評的精神と良心的行動」などというと、いかにも倫理的にすぎるかもしれないが、世界をバランスさせていくしなやかな理性が求められていることは確かであり、そういう価値観が世界を動かしていかない限り世界は立ちゆかなくなるだろう。おそらくは、現代を生きるあらゆる人々の心の中で、そういうものへの配慮とつつしみがすでに働きはじめているはずだ。無印良品のコンセプトには、当初からそういう究極の合理性が含まれているのである。

現在、僕たちの生活を取り巻く商品のあり方は二極化しているようだ。ひとつは新奇な素材の用法や目をひく造形で独自性を競う商品群。希少性を演出し、ブランドとしての評価を高め、高価格を歓迎するファン層をつくり出していく方向である。もうひとつは、極限まで価格を下げていく方向。最も安い素材を使い、生産プロセスをギリギリまで簡略化し、労働力の安い国で生産をすることで生まれる商品群である。

無印良品はそのいずれでもない。最適な素材と製法そして形を模索しながら、「素」あるいは「簡素さ」の中に新しい価値観あるいは美意識を生み出すこと。また、無駄なプロセスは徹底して省略するが、豊かな素材や加工技術は吟味して取り入れる。つまり、最低価格ではなく豊かな低コスト、最も賢い低価格帯を実現していくこと。それが無印良品の方向である。

そのコンセプトは北をさす方位磁針のように生活の「基本」と「普遍」を示すものであり、それは世界が今後必要とするはずの価値観でもある。僕はそれを「世界合理価値」と呼んでみたい。

無印良品を通して、僕は地球規模で生活文化や経済文化を考えてみたい。地球的な視点で「これでいい」と多くの人々が納得できる商品を生み出すお手伝いをしたい。幸い、無印良品の考え方に共感を示す優れた才能が世界に多数存在していることが分かってきた。たとえば、経験豊富で柔軟な思慮を持つデザイナーの多くは無印良品を知っている。彼らは潜在的な無印良品の支持者で、無印良品のために仕事をすることに好意的である。匿名性、あるいはアノニマスという観点を無印良品は持ち続けてきたけれども、これからはもう少し意志的に無印良品のコンセプトを体現すべく、世界中の才能に商品の具体化に関与してもらうことが必要かもしれない。もはや狭い日本だけで無印良品を考えるときではない。世界中の才能や発想を積極的に取り入れていく時期なのである。

想像してみていただきたい。もしも無印良品というコンセプトがドイツで発祥していたとしたら、どんな商品や店が生み出されてきただろうか。あるいはイタリアで誕生していたらどうだったか。さらには生活意識が成熟しつつある中国で無印良品が発案されたのだとしたら、どんな製品群がどのように誕生しただろう。そういうイマジネーションが今日では重要である。世界のいろいろな場所で発見された「普遍性」、そして様々な文化の中で生まれる「これでいい」を収集し、最も合理的なプロセスと透徹したデザインを通して商品を生み出し、それを世界に流通させていくという発想が、今後の無印良品のビッグ・ヴィジョンとなるかもしれない。そういうイメージを見据えつつ無印良品を前に進めてみたい。そんなヴィジョンを実現するお手伝いをしたいと考えている。

EMPTINESS

さて、無印良品のヴィジョンは、一方で商品の開発計画としてあるが、他方ではこれを社会に伝えていくためのコミュニケーション計画も同時に進めていかなくてはならない。そしてまさにここが僕自身の専門でもある。そこで最後に広告コミュニケーションについてその考え方を提示してみたい。

僕が提案する無印良品の広告のコンセプトは一言でいうと「EMPTINESS」。つまり広告そのものが明解なメッセージを打ち出すのではなく、むしろ広告としては、空っぽの器を差し出すようにふるまうということである。

コミュニケーションというのは、一方的に情報発信をすることだけではない。一般的には、分かってもらうべきことを明確にし、それを理解しやすいメッセージに仕立て、相応しいメディアを選んで流通させていくのが広告コミュニケーションだと考えられている。しかし全てが一様にその方法に準じる必要はない。メッセージではなく空っぽの器を差し出し、むしろ受け手の側がそこに意味を盛りつけることでコミュニケーションが成立するという場合もある。

たとえば日本の国旗。赤い丸に意味は無い。幾何学的な図形である。意味は後から人が盛り込むのである。かつて軍国日本の象徴としての意味を背負っていた経緯があり、今日でもこれを嫌う人は多い。反対に平和国家としての意味に変わったのだと主張する人もいる。僕などは後者として育ったので日本の国旗はむしろ平和的に見えるが、中国の大学に行ってそう話すと、聴衆の大半が若い学生にもかかわらず、ざわざわっと会場が沸く。彼らはそういうふうには承知していないようだ。一方でこれは神道のご神体である太陽の象徴だと言う人もいれば、赤い血、あるいはハートのシンボルだと言う人もいる。白い御飯の上の梅干であると茶化す人もいる。どれもなるほどと思う。解釈は様々なのである。そういう様々な思いのいずれの解釈にも与せず、それでいて全ての思いを受け入れつつこの国旗は機能している。シンプルな赤い丸は空っぽの器である。空っぽだからこそ全ての人々の思いが容れられる。シンボルというのはそういうものだ。シンボルの機能の大小は意味を盛り付けられる器としての容量に比例する。オリンピックの表彰式などで、これは多くの人々が盛り付ける多様な意味で溢れんばかりになりながら、静々と掲揚され、静かにひるがえり、強烈な求心力を生み出している。

別の例では、初詣に行ってお賽銭を入れる賽銭箱もそうだ。この儀式は神と参拝者の交流である。その場合、神社としてはその交流を促進するために参拝者におふだを配ったりすることも可能性としてはあり得るが、そんなことはしない。賽銭箱を正面に静かに置いておくだけである。

EMPTINESS

参拝者の方が積極的に気持ちをそこに投じ、ご利益を感じて帰っていくのである。

いずれの例も日本的であるが、よく観察すると、よくできたブランド広告は同じような原理で機能している。解釈の多様性を受け入れる求心力が核として存在し、それを好む人たちによってそこに様々な期待や思いが盛り付けられていく。無印良品の広告コンセプト「EMPTINESS」はそれを意識化し、方法化したものだ。つまり空っぽの器として広告を差し出し、見る側がそこにおのおのの思いを自由に盛り込むことでコミュニケーションが成立していく。

無印良品に潜在的な好意を持っている人たちは数多くいるが、その好意を持つ理由は様々である。ある人はエコロジーだと思い、ある人は都会的な洗練だと思っている。またある人は価格の安さが気にいっているし、またある人はシンプルなデザインが好きなのである。さらにある人は、好きでも嫌いでもなく、まあいいか、という肩の凝らない理由で無印良品を愛用している。広告メッセージはそのうちのどれかを代表するものであってはいけない。それらの思いの全てを受け入れる大きな器であることが理想である。

だから、無印良品の広告にはメッセージとしてのコピーを入れない。無印良品というロゴタイプはある意味でこれ以外にないキャッチコピーであり、ブランドマークでもある。四つの文字も、含蓄を含みつつ時間の経過とともにほどよく意味が背景化している。

そういう考え方で、商品を用いた広告では、商品だけを画面の中央にどんと置き、画面のどこかに無印良品のロゴが配されるのみ、というシンプルなスタイルを定型として立ちあげた。

雑誌広告（左頁も同様）

117———なにもないがすべてがある

地平線にロゴを置く

キャンペーンも、基本的には同じ考え方である。これは壮大なスケールの空の器として「地平線」の写真を用いている。地平線というのは何もない映像だが、逆に全てがあるとも言える。視界にある天地の全てを見通す映像だからである。それは人と地球を捉えた究極の風景である。先ほど述べた、世界合理価値、すなわちこれからの地球の生活者たちが共通に担うべき価値観を、それは示しているように見えないだろうか。いや示すというよりも、そういう思いを受け止める象徴的な映像になるかもしれない。そんなふうに考えたのである。

地平線のヴィジュアルは写真家の藤井保の発案である。無印良品に対する人々の意識を受けとめられる映像は何かと意見を交わしている中で「地平線」はどうかと藤井氏は言った。藤井保は極めてシンプルな映像の中にものの本質を写し取ろうとする写真家である。既にそういう作風でいくつかの写真を撮っていたが、あえてこの案にのってみようと思った。純然たる風景写真ではなく、人々の思いを容れる器として機能する「EMPTINESS」というコンセプトぬきには絶対に肉迫できない「地平線」が撮れるはずだと予感したからだ。

半端な地平線ではない。画面を上下にきっぱりと二分割する完全な地平線である。それが確実に見える場所はどこか。地球儀を睨んで考える。「水平線」なら海に出ればすぐに見えるが、完璧な「地平線」はそう簡単には手に入らない。様々な情報を検討した結果、南米ボリビアのアンデス山中にある「ウユニ」という四国の半分くらいの大きさの塩湖と、「マルハ」というモンゴル草原の中の平坦地の二地点を選んでロケーションを行った。ご覧いただくのはポスターであるが、これは新しい無印良品の未来を受けとめる器でありヴィジョンなのである。

ロケーション——地平線を探して

完全な地平線を撮影するために、南米ボリビアのウユニという町を訪ねた。これまでに訪れた異国の中でも最も遠い町のひとつである。そこはアンデス山脈のふところにあり、標高は三七〇〇メートル。付近には五、六〇〇〇メートル級の峰がひしめいている。

東京を発った僕らはまず隣国アルゼンチンのブエノスアイレスに飛び、さらにボリビア国境近くのフフイという町に飛んだ。ここから先は飛行機で行くと高山病になってしまう。だから四輪駆動車を連ね、陸路でアンデスに入り、小さな町に泊まりながら数日かけて移動し、少しずつ標高を上げていく。それでも高山病の症状である軽い頭痛を経験する。つまり距離も遠いが、辿り着く手間においてもこの場所は人を遠ざけている。

ウユニに行くとなぜ完全な地平線の写真が撮れるのか。その理由はこの町の近くに世界最大級の塩湖があるからだ。塩湖といっても正確には干上がった塩原である。白い巨大な平面。四国の半分の面積がまったいらで真っ白。だから視界は三六〇度白い大地と空、つまり地平線しかない。

塩の大地は硬く、四輪駆動車が乗ってもほとんど轍も残らない。塩の地表にはマスクメロンの皮のような筋模様がパターンをなして浮き出し、それが地表全体を覆っている。広げたハンカチ程度の大きさの多角形で分割された巨大な白いメロンの表皮。それが無辺に続いているのである。

一方、塩湖の全てが乾いた大地というわけでもない。塩湖には川が一本流れ込んでいるため、季節によっては、ゴム長靴で歩ける程度の水が地表を覆うエリアが発生する。水といっても粘り気のある濃い塩水で、流れもなく大地にはりついているようだ。比重の重い塩水のせいか、湖面や海面のようには簡単に波立たず、それは完全な鏡となって空を映す。つまりこのエリアでは地平線を境として空がふたつになる。見渡す限りの景観が空なのだ。空というよりも雲という方が実感に近いか。地平線を境に線対称に浮遊する雲海に僕らは立っていた。太陽もふたつ。月もふたつ。撮影日はちょうど満月だったので、夕暮になると、月と太陽がふたつずつ、西と東に向き合うように並ぶ。こうなると珍しい風景というよりも、違う惑星に来たような錯覚におちいる。

ところで、なぜそれほどの地平線が必要なのか。地球や人間を貫いている普遍性や自然の摂理へと人の思いを誘うような映像を用いたいと考えたからだ。地平線の中にぽつりと小さな人間を点のように配して写真を撮る。単純だが地球と人間の究極の構図。なにもないがすべてがある。そういう写真が撮れるのではないかと考えた。無辺の景観に点景として立つ人影はウユニの町で探した一四歳の少女である。

藤井保は四メートルほどの高みからこの写真を撮りたいと言う。景観のスケールに対して四メートルがどれほどの差かといぶかったが、スタッフはその要望に応え、どこからか調達した鉄パイプを溶接し、徹夜で足場を完成させた。それを塩湖に運んで登ってみると、なるほど、視界に地表が大きく入ってくる。自分たちの立っている足元から地平線までの遠近の奥行きが増幅されて景観のスケールがきわだつ。

撮影は五日間続いた。水のエリアの鏡面の地空も印象的だが、どこか夢のように美しすぎて大地のリアリティがない。結果として白い大地に雲ひとつない青空。そういう写真に手ごたえを感じて僕らはウユニを後にした。

塩湖の中心から縁までクルマで一時間。町はそこからさらに三〇分。町には「カクタス(サボテン)」という名前のレストランがあり、僕らは毎夜そこでリャマのステーキを食べた。その目に焼き付いた地平線の色彩の残像をまぶたの裏にもてあましながら。

無印良品

第五章　欲望のエデュケーション

デザインの行方

「着眼大局着手小局」という言葉をときどき反芻している。現在という場所から半歩先の近未来を見るのではなく、過去から現在、そして少し遠い未来を見通すような視点に立ちたい。未来が存在すると同時に莫大な文化的蓄積が過去にはあり、自分にとってはそれも未知なる資源である。しかしそういうヴィジョンを持ったとしても、実際に今自分がやるべきことは、明日のプレゼンテーションを成功させることだったり、そのために企画書を整理することだったり、さらには、それを気分よく行うために、机のまわりを片付けることだったり、究極は汚れたコーヒーカップを洗うことだったりするのだ。人ひとりの営みとは所詮そんなものだが、そういう小さなことを積み重ねながらも納得できる場所に行き着くためには、そこへ自分をナヴィゲートしていく誘導装置を自身の意識に装着しておかなくてはならない。

そういう意味で大局の話になるが、デザインという営みはどこに向かえばいいのだろうか。無印良品のヴィジョンは究極のシンプルを模索しながら、力こぶの入らないデザインで日常に鮮度を生み出すことである。これは自分の生活観と重なる部分が多いので素直にこの仕事に入っていける。紙という素材に僕はシンパシーを覚えるので紙商社の商品開発やコミュニケーションのお手伝いができる。しかし、そういう価値観や嗜好の合致とは異なる局面で、デザインは厳然と世界の経済と繋がっている。僕のクライアントのひとつはコーヒーのナショナル・ブランドであり、競合するワールド・ブランドに対して日本のマーケット・シェアを競うためにデザインを行っている。都市の大規模開発を専門とする企業のＣＩも手がけている。デザインは、経済をドライブさせていく力であり、企業にとっては重要な経営資源である。冷静で的確なデザインの運用は、商品の競争力や企業のコミュニケーション効果を飛躍的に向上させる。僕らは、そういうデザインの力を知り、その方法を洗練させ、さらに有効に機能させるために切磋琢磨している。しかし、そういう営みの果てに一体何を見ているのか。単に製品の出来不出来や、メッセージの伝達力ではなく、その営みの集積や反復の果てに何を見ているのか。

地平線を見ている、というのはレトリックである。そこに爽やかな映像が広がってはいるが、これは先に述べたとおり空っぽの器である。それを見る人々の思いを受け止めることはできるがヴィジョンそのものではない。そういうことを考えるときに、最近自分の頭を去来する言葉に「欲望のエデュケーション」というものがある。この言葉の周辺を少し散策してみたい。

AGFマキシム・ブレンディ／パッケージ　写真・関口尚志

企業の価値観の変貌

企業のありかたやそのフォーメーションが変わってきている。特に「メーカー」という企業形態が変化しはじめている。これまで「メーカー」は製品を製造し、流通させ、販売することが事業であった。自動車メーカーはクルマを生産し、時計のメーカーは時計を生産しこれを販売する。メーカーの創業に関しては、いいクルマをつくりたい、いい時計をつくりたいというような創業者の思いからスタートしたものも少なくないはずだ。しかし企業が業績を上げ事業規模を拡大し、担う経済が大きくなるにつれて、ものづくりに対する熱い思いだけでは済まなくなる。すなわち事業性が企業の存在意義となる。事業というのは収益をあげること。企業のみならずその企業に投資している株主などにいかに高い利益をもたらすことができるかが企業の目標になる。もっとも、今日では事業性そのものが起業の動機となることは自明となり、投資家や銀行はその企業の近未来の事業性を冷静に予測して投資をし、融資を行う。

今日、資本主義というゲームのルールの中で、効率のいい事業性をいかに手に入れるかに最も熱心な国アメリカでは、企業の中核は株主である。アメリカにおける会社の形はおよそ次のようなものである。まずゲームの主導権を握るのは、企業の事業性を見込んで投資をする株主である。その事業を実際に遂行する担当者が執行役員として株主組織によって任命され、社長はこの執行役員のリーダーとして機能する。社長は収益をあげ利益を株主に還元する責任者である。社長のことをアメリカ式にいうとＣＥＯ(Chief Executive Officer)つまり執行役員の長、ということになる。また、社員も事業の遂行に必要な組織的なポジションがまず配置され、そこに人材が雇用される。年功序列も何もない。ポジションに給与が固定しているので、ポジションが変わらない限り給与も変動がない。きわめて明解で冷徹な事業体としての組織である。事業体の収益性が悪いと株主組織によって執行役員チームが社長もろともに更迭されることが当然のように行われるし、すぐれた業績を残せる優秀なＣＥＯは引く手あまたとなり、高い報酬で多くの会社を歴任する。

一方で、優れたビジネスモデルを発想して起業し、成長させ、株式を市場に上場した後に、高額になった株とともに会社を売却して富を手にするという方法もこのゲームの上がり方のひとつである。近ごろではビジネスモデルに「特許」が取得できるそうだが、優れたお金もうけの方法を考案した人は尊敬され、優遇される。特許は取れないまでも、そのアイデアの中には「賃金の低い国で生産して高い国で売る」というようなことも含まれているのだからあまりモラリスティックな話ではない。資本主義と言うのは、こうした「マネー」あるいは「富」を手にいれるためのワールド・ルールのようなものである。そういうルールが、事業を興したり収益を上げたりすることに非常に長けた国によってコントロールされ、世界に広げられようとしているのがいわゆるグローバリゼーションである。本来は問題となるべき経済格差をむしろ前提条件とみなしてそこに利益を生む構造を持ち込もうとする。おそらく未来においては糾弾されるであろう不平等な時代・社会の中に僕らは今生きている。日本はそういう力に押されて翻弄されつつも、先頭集団に遅れまいと食い下がるマラソンランナーである。

「メーカー」を変えはじめている要因は、そのようなグローバルな規模で経済効率を追求する動きの中にある。かつては自前の工場を持ち、そこで製品の製造を行っていたが「工場を持つ」という物理的な制約は事業の自在な展開にとって足枷になる。工場に対する設備投資は、商品がヒットしなかった場合は無駄になるわけでこれ自体がリスクである。ストライキなどの労働者との折衝にも気を遣わなくてはいけない。また、今日では労働力の安い地域でものをつくって、生産コストを下げるということが工業生産の常套手段となってきているが、自社工場を事情の知れない国につくるにも高いリスクをともなう。したがって「望ましい品質の製品が必要な量で確保できること」が保証されるなら、製品の製造や調達を社外に出してもいいのではないかという発想が生まれる。たとえば「半導体」という「部品」は労働力の高い国で生産するよりも、安い国から供給される方がいい。だから随分前からそうなっている。

現在では周辺部品のみならず主要パーツに至るまで世界中にはりめぐらされた生産工場のネットワーク、物流のネットワークを通して必要なものを合理的に調達することができるようになっているという。そういう話をプロダクトデザイナーの深澤直人からきいた。少し調べてみると、そういうサービスを専門に行う会社は一九六〇年前後に出現しており、ひとときはへんぴな場所で生産を行うことから品質管理に問題を抱えていたらしいのだが、最近になって猛烈な勢いで成長している。パソコンの「DELL」などは製造部門をこういう会社にアウトソーシングしているメーカーである。メーカー同士も互いに好都合な条件で、技術や部品を融通しあっており、エレクトロニクス関係の製品では純正に自社の製造であると言える製品はほとんどないのが現状だろう。EMS(Electronic Manufacturing Service)すなわち「電子機器受託製造サービス」という業態の成長は続いており、主にアメリカの西海岸に本社を持つこれらの企業の生産工場は、中国、アジア諸国、中米、南米など製造コストの安い地域に次々と配備されネットワーク化している。そして様々なメジャーのメーカーから、製品や部品の生産や組み立てを受託しているのである。中国の場合は単なる製品を製造するだけの拠点ではなく自身が潜在的な巨大市場なので例外だが、もはやアジアのどこかの国や地域が生産拠点として注目されるという時代ではない。

集約されるメーカーの機能

そうなると自社工場で製品をつくる「メーカー」の企業意識は当然変わってくるだろう。いわゆる「製造」から自由になって、商品開発、新しいマーケットの探査と創造、ITを用いた新しい販売ルートの開拓、商品を媒介した様々なサービスの供与などに事業を集中できる。極端な話をすれば、自動車メーカーでありながらクルマの製造はしないというケースも出てくるはずである。設計は自社でやる。具体的な製品を製造するのは受託製造会社で、地球上の生産コストの安い地域の工場をネットワークしてそれを生産する。

自動車メーカーは、どのような自動車をつくるか、それらをどういう市場にどのように売るかを計画・実行する。さらには自動車を介して様々なサービスを展開する。保険や金融、通信、旅行、住宅など、クルマの販売以外にも様々なサービスを顧客に対して行おうとするだろう。日本の自動車メーカーは自社での生産を守っているが、収益のためなら何にでも挑戦しようと考えるメーカーなら、可能な部品の製造はアウトソーシングでまかなおうとするだろう。パソコンと家電はやがて統合された機器となるだろうが、そうなると、パソコンの会社が家電の製造技術を、家電の会社がパソコンの製造技術を必要とするわけだが、既に受託製造会社がその需要を見込んで守備位置についている。状況はメーカーの需要を先取りして進んでいるのである。

マーケットを精密に「スキャン」する

メーカーの機能が生産技術よりも商品開発能力に絞られていくとすると、一層重要になっていくのがマーケティングとデザイニングである。企業は事業を無駄なく行いたい。他社よりも正確に市場を把握し、それに合致した商品を計画し、無駄のない方法で生産・流通させ、少しでも高い収益性を確保しようと常にアンテナの高精度化をはかる。この傾向はどんどん加速している。

今日のマーケティングはある意味で非常に精密になった。波状的に行われる市場調査は対象となる顧客の嗜好や潜在的な欲求を詳細に拾い上げてデータ化する。経験豊かなマーケティング担当者がこのデータを創造的に分析すれば、市場の動向は比較的正確に予測されるだろう。新しい市場を探り当てていくことも活発に行われるだろう。

今日、市場にある顧客の欲望や希求はマーケティングによって高精度に「スキャン」されている。スキャンという言葉を比喩的に用いているのは、対象となる画像をレーザーで一律かつ緻密に読み込んでいくスキャニングと、ユーザーの実体をクールに精査する市場調査は非常に似ていると思うからである。たとえばクルマを例にしてみると、今日本で売られているクルマは「日本人の自動車に対する欲望」を何度も何度もスキャンし続け、その結果を製品に反映し、リ・プロダクトを続けてきた成果だ。

よく耳にする国産車への批判として、海外のクルマと比べて美意識が足りないとか哲学が不足しているとかいう話がある。確かに一部のヨーロッパ車には強い自己主張を感じるものがある。クルマというプロダクツに込められた生産者の意欲を感じる。日本のクルマにはそういうものはない。日本のクルマは日本人の欲求に寄り添うようにつくられているので、エゴイスティックどころかとても温厚で従順である。性能は優秀で燃費もいいし故障も少ない。

日本のクルマが日本人の目におとなしく見えるのは、日本人のクルマに対する欲望を精密にスキャンし、それらに完璧に寄り添う形にできているからだ。だから、いい意味でも悪い意味でも日本のクルマは日本人のクルマに対する欲望の水準そのものである。マーケティングが精密に行われる限りにおいて、製品はそのメーカーがフランチャイズとしている市場の意識の反映であり、その欲望のレベルや方向がそれらの製品を通して浮き彫りになると考えられるからだ。

グローバルな市場を考えた場合、商品の競争力の源泉はその商品のフランチャイズとなる市場の意識あるいは欲望である。ＥＵ、アメリカ、日本、そして潜在的には中国。世界にはそういう大きなマーケットがある。日本のメーカーでもアメリカ市場に照準を定める場合は、アメリカをスキャンして商品をつくるだろう、しかし基本的に一億三〇〇〇万人という日本の市場を母胎としている以上、日本のクルマは日本市場的であることをまぬがれない。どのマーケットの欲望を対象として商品を考えるかという「母胎となる市場の選択」が、グローバルな意味での商品の優位性に影響を与えるとするならば、そこには考えるべき問題が横たわっている。

これは映画の出自に似ているかもしれない。日本での公開を前提としている以上、日本映画は必然的に日本的になる。ハリウッドの映画は最初からグローバルな市場を前提としているが、これは母国アメリカの文化そのものである。フランス映画やイタリア映画はどこかＥＵの雰囲気を漂わせている。

先に述べた自己主張の強い外国車は外国の映画と同様に日本人をターゲットにはしていない。むしろほどよく無視して成立している。だから違和感があり、時にエキゾチックに見える。こういうわがままでエキゾチックなプロダクツを好む人々もいる。しかしそれがメーカーのロマンチックな自己主張である限りにおいて、その魅力はさして気にすべき問題ではない。問題なのは他のマーケット、たとえばヨーロッパ市場の欲望の水準に冷静に照準を合せたクルマが、日本のマーケットに優位な影響力を持つ場合である。

欲望のエデュケーション

センスの悪い国で精密なマーケティングをやればセンスの悪い商品がつくられ、その国ではよく売れる。センスのいい国でマーケティングを行えば、センスのいい商品がつくられ、その国ではよく売れる。商品の流通がグローバルにならなければこれで問題はないが、センスの悪い国にセンスのいい国の商品が入ってきた場合、センスの悪い国の人々は入ってきた商品に触発されて目覚め、よそから来た商品に欲望を抱くだろう。しかしこの逆は起こらない。ここで言う「センスのよさ」とは、それを持たない商品と比較した場合に、一方が啓発性を持ち他を駆逐していく力のことである。

ここにひとつ、大局を見る手がかりがあると僕は思う。つまり問題はいかにマーケティングを精密に行うかということではない。その企業がフランチャイズとしている市場の欲望の水準をいかに高水準に保つかということを同時に意識し、ここに戦略を持たないと、グローバルに見てその企業の商品が優位に展開することはない。これが問題なのである。ブランドは架空にできあがるものではなく、やはりそのフランチャイズとなる国や文化の水準を反映している。

日本のクルマが海外で評価され、実績を上げている限りにおいては、日本人のクルマに対する意識水準は心配しなくていい。日本のクルマは今日においても、特にその性能面では海外の市場で高い評価と信頼を得ている。几帳面な日本人の性向はクルマを含めた様々な工業製品の基本性能を高い水準に保つことに寄与している。

しかしながら、小型車や実用車ではなく、高級セダンという切り口で世界の市場を見渡してみると、ＢＭＷ、アウディ、ベンツなどの人気が高い。日本市場でも同じ現象がある。これはどういうことか。これは単純にいわゆるブランドイメージの強さや弱さの問題に帰するものではない。おそらくはこういうクラスのクルマに対する日本人の意識水準がドイツ、ヨーロッパに及んでないということだろう。こういう部分に現れてくる品質は、クルマの性能の問題ではなく、また個人のデザイナーが頑張って解決できる問題でもない。もっと総合的な品質、いわば品位や品格とでも形容すべき性質の問題である。そういう性質が不足している。市場の欲望の底に横たわっているこういう性質は簡単に改善できるものではない。

しばらくクルマを例に挙げて語ってきたが、「靴」にしても「オフィスファニチャー」にしても同じである。商品の母胎となる市場の欲望の質がグローバルな市場での商品の優位性を左右する。それは一般的なマーケティングとは異なる深度に焦点を合わせないと見えてこない問題である。そういう問題を考えていくのが「欲望のエデュケーション」である。

香港で食べる中華料理は美味しいが、東京のそれはさほどではない。それがシェフの技量の問題であれば、腕のいいシェフを香港や中国から招けばいいし、事実そういうことも行われているはずである。しかしこのギャップはなかなか埋まらない。なぜなら、問題はシェフではなく顧客だからである。美味しい中華料理にうるさいお客の数を比較すると、香港と東京では勝負にならない。しかし話が「寿司」ならば立場は逆転するだろう。

日本人の生活環境

この話は日本人の生活意識全体の問題である。したがって根本的には日本人の生活意識に深い影響を与えている要因を一つひとつ検証してみる必要がある。たとえば住宅はどうか。

日本の建て売り住宅の水準は高いとは言いがたい。住宅展示場に行ってみると少なからずがっかりする。外観もさることながら、画一的な間取り、工夫のない採光、床、壁、天井の素材の安っぽさ、門扉の不必要な装飾性、奇妙に凝った照明器具、フォルムに無駄を残すドアノブ……。日本人の家に対する思いは決して浅くはない。一国一城の主となるべく汗水たらして働いて頭金を貯め、多大なローンを組んで購入するものである。だから半端な買い物ではない。家を買うのは夢の実現である。しかしながら、真剣な買い物にしてこの水準。本気の度合いが半端ではない分、そこに露出している意識の低さが悲しい。住宅事情の悪さを日本人は宅地価格の高さのせいにしたがるが、そうではない。住空間に対する美意識が成熟していないのである。つまり欲望の水準が低い。

日本人は近代的な住居に対して理想的なモデルを与えられないまま暮らしてきた。明治に西洋を取り入れたが、住居は洋服のようには簡単にいかない。庶民レベルでは特にそうだ。和室と洋室をうまく融合させる方法すら満足に見つけることができないで、未解決のまま今日までやってきた。庶民が住居空間について学習する教材は、不動産業者が新聞に折り込むチラシである。2DKとか3LDKなどという間取りを眺めては、ふた部屋＋ダイニングキッチン、あるいは三部屋＋リビングダイニングと学習する。部屋の広さは畳の数で数え、床の素材違いで洋間と和室を区別する。だからマーケティングをやっても「2DKで駐車場付、ひと間は和室」などというモデルが導かれたりするのである。そういう不動産チラシが「リファレンス効果」を生み、欲望はいびつな形を与えられたまま一般化していくのである。ちなみに「2DK」は西山夘三という建築家が関東大震災の後に研究して、日本人の標準的・合理的な生活空間として考案した苦心のアイデアである。しかし不動産用語として用いられる中で、今日では日本の住空間の単位を記述する記号となり果ててしまった。不動産業にとっては便利かもしれないが、別の意味では大衆レベルの住空間に対する欲望の水準を低く押しとどめるという逆の「教育効果」を生んでしまった。

ある住宅のパンフレットに、広さが同じで価格差のある家がある。高い家の玄関の扉はデコラティブな装飾が施されており、安い方はシンプルである。高い方の居間の電灯はシャンデリアを模したつくりで安い方は簡素である。簡素な方がむしろ美しいが値段はデコラティブな方が高い。なぜそういうことになるのかをその住宅販売会社に聞くと、マーケティングの結果、そういう答えが出るのだという。つまりお客から「求められている」というのだ。同じようなスタイルの家で、ディテイルの差異で松竹梅の差をつけておくと、予算をたくさん持っている顧客は高い方を選択するのだそうだ。これはネガティブな方向に向いた「負の欲望のエデュケーション」の一例である。こういうマーケティングをくり返せばくり返すほど、日本の家、そしてその集積としての街はその水準を下げていくだろう。生活習慣が違うので、「家」を海外の市場に輸出する企業はないだろうが、万が一やったとしても人気が出ることはない。

おそらくはこのような一般的な住空間の供給事情がエデュケーショナルな効果を生んで、様々な生活用品に対する欲望の基盤形成に影響を与えているだろう。先ほどの「高級セダン」の問題にも遠からず関与していると思うのだがいかがだろうか。日本のクルマは操作性の味わいや空間の落ちつきではなく、2LDK、3DKという使い勝手優先で進化しているように思う。もっとも、これが全て悪いとは思わない。ヨーロッパのような社会的な階層意識がうすい「総中流」の日本においては高級セダンに象徴されるような欲望など必要ない、という意見もあるかもしれない。

私見だが、日本の住空間に関しては「土地付き一戸建て住宅」の購入を目標とする習性をそろそろ切りかえた方がいい。自由に売却できず、そこに住まなくてはいけないのであればその土地

日本デザインコミッティによって二〇〇二年に開催された展覧会「デザインの原形」。コミッティのメンバー、深澤直人、原研哉、佐藤卓によって企画されている。最適なものをつくる喜び、最適なものを使う喜びとしてのデザインのあり方を、古びない本質を示すプロダクツの原点の数々に探訪する。

写真・Nacása&Partners

が自分の資産であろうとなかろうと関係ない。むしろ空間そのものの質にもう少し目を開いた方がいい。そのためには住空間を生活に合わせて「編集」するという発想を持つことが合理的であろう。基本的には床、壁、天井、キッチン、バス、トイレ、通信インフラ、収納、ドア、建築金物、家具、照明そして様々な生活雑貨で、生活空間は編集できる。そこに土地は入らなくていい。特に都市部ではそうだ。今後は古いビルなど、構造やインフラは問題ないがインテリアが古臭くなってしまう建築物が数多く発生する。ヨーロッパの古都など、建築物の立て替えが強く規制されているような場所では、みな上手にその中のインテリアを再構築して住んでいる。建築物の構造を「スケルトン」と呼び、内側の生活空間を「インフィル」と呼ぶ。このインフィルを自在に編集する能力が啓発されていくとするならば、日本の住空間にも期待が持てる。この生活の基盤である住空間に対する意識水準の高まりは、おそらくはあらゆるマーケティングのベースとなる生活者の意識レベルを活性させていくのではないか。そういうところから、独特の生活文化が生み出せるかもしれない。

日本という畑の土壌を肥やす

ここまでに僕は何度も「日本」と言ったが一億三〇〇〇万人という市場は大きな市場である。マーケティングを行う上で市場は「畑」である。この畑が宝物だと僕は思う。畑の土壌を調べ、

展覧会「デザインの原形」会場風景　写真・Nacása&Partners

生育しやすい品種を改良して植えるのではなく、素晴らしい収穫物を得られる畑になるように「土壌」を肥やしていくことがマーケティングのもうひとつの方法であろう。「欲望のエデュケーション」とはそういうことである。「欲望」という言葉の生々しさに抵抗を覚えられる方もあるかもしれないが、単なる「意識」よりももう少し能動的なニュアンスを探した結果この用語となった。「エデュケーション」という英語を用いているのは「教育」という言葉にある種の押し付けを感じるので「潜在しているものを引き出す」という意味を含めてのことである。自分としてももう少しエレガントな表現がないかと思案しているが、現状ではこの言葉を用いている。

優れた土壌から優れた作物を収穫するように、潤いのある感受性に満ちたマーケットからは潤いのあるデータが収穫されるはずである。幸か不幸か、日本の一億三〇〇〇万人のマーケットは、グローバリズムとの攻防においては「日本語」という防波堤で守られている。英語の不得意さが幸いして、日本市場は不思議なオリジナリティを維持している。この独自な市場における欲望の質を肥やしていくことが、収穫物の品質を向上させ、グローバルなステージでの日本の競争力を引き上げていくことに繋がるはずだ。デザインという営みは長い目で見て、そういう局面で働けるだろうと考えるのである。

デザインの大局

日常は美意識を育てる苗床である。先にクルマや住空間の話を引き合いに出したが、たとえばコンビニエンスストアで販売されているようなもの一つひとつに実はエデュケーショナルな効果があって、僕らは毎日これらのものを通して教育されている。一方で、精密な販売データの解析がスーパーやコンビニを通じて日々行われている。マーケティングは新鮮な感受性もキャッチすれば、怠惰の方向に傾斜しがちなユーザーの性向をも正確にキャッチする。精密なマーケティングはこの「ゆるみ」とでも呼ぶべき顧客のルーズさをもしっかりと分析し、商品という形に仕上げて流通させていく。顧客の本音に寄り添った商品はよく売れるが、これは一方でマーケティングを通した生活文化の甘やかしであり、この反復によって、文化全体が怠惰な方向に傾いていく危険性をはらんでいる。そこに生み出される商品は、グローバルな視点で見た場合に、かならずしも他の市場を啓発するような力を持ち得ない。

ヨーロッパ型のブランドがある特定の個性を強い意志で保ち続けるのに対して、日本の日用品はマーケティングの反復によってどんどん「怠惰」で「ゆるみ」のある商品に変化していく。結果として、日本人はコンビニやスーパーでの買い物と、ブランドショップでの買い物に二極化していくのだ。

もしも、デザインという、生活環境におけるものに対する合理的な見方が、せめて義務教育の

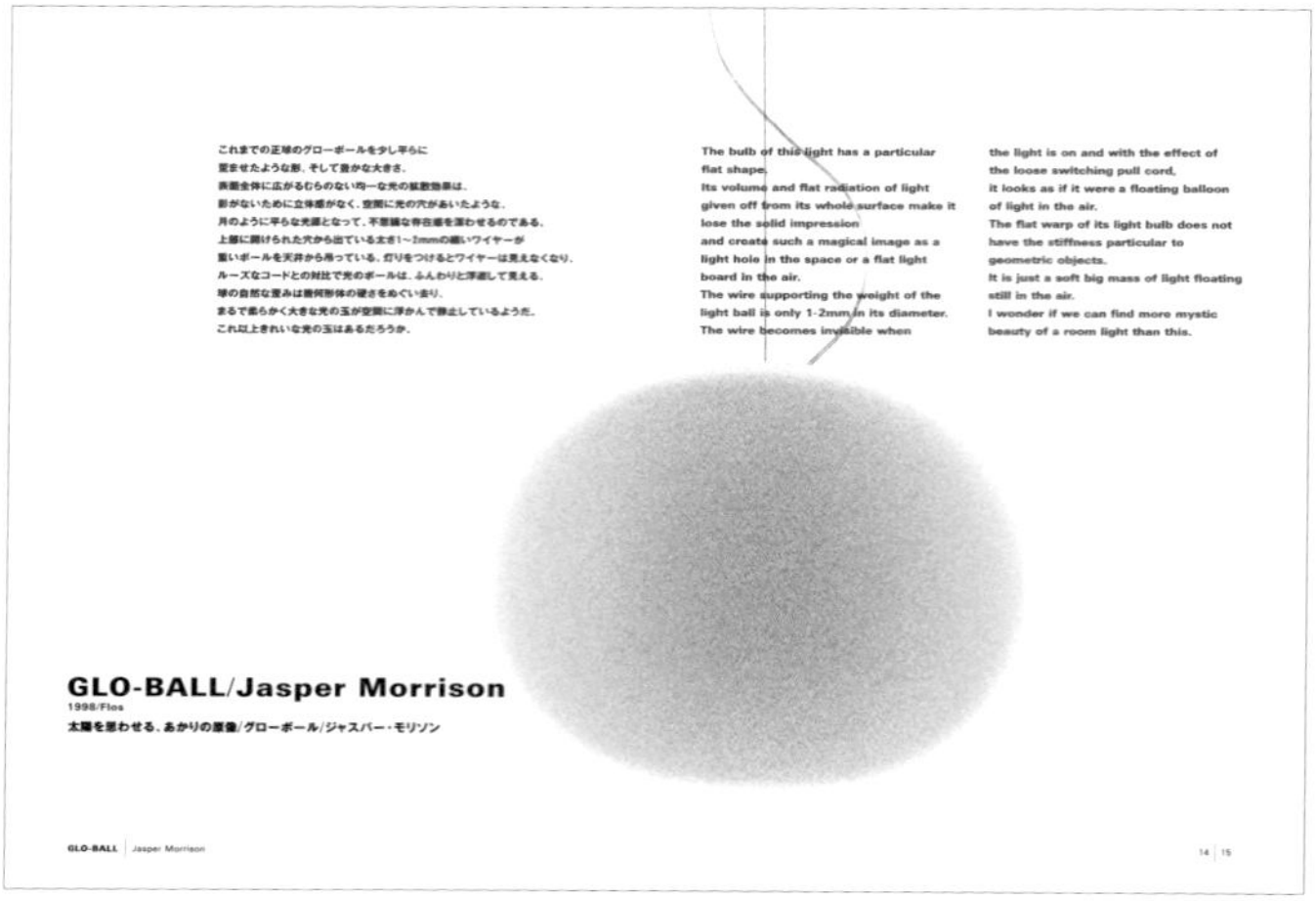

これまでの正球のグローボールを少し平らに
歪ませたような形、そして豊かな大きさ。
表面全体に広がるむらのない均一な光の拡散効果は、
影がないために立体感がなく、空間に光の穴があいたような、
月のように平らな光源となって、不思議な存在感を漂わせるのである。
上部に開けられた穴から出ている太さ1～2mmの細いワイヤーが
重いボールを天井から吊っている。灯りをつけるとワイヤーは見えなくなり、
ルーズなコードとの対比で光のボールは、ふんわりと浮遊して見える。
球の自然な歪みは幾何形体の硬さをぬぐい去り、
まるで柔らかく大きな光の玉が空間に浮かんで静止しているようだ。
これ以上きれいな光の玉はあるだろうか。

The bulb of this light has a particular flat shape.
Its volume and flat radiation of light given off from its whole surface make it lose the solid impression and create such a magical image as a light hole in the space or a flat light board in the air.
The wire supporting the weight of the light ball is only 1-2mm in its diameter.
The wire becomes invisible when the light is on and with the effect of the loose switching pull cord, it looks as if it were a floating balloon of light in the air.
The flat warp of its light bulb does not have the stiffness particular to geometric objects.
It is just a soft big mass of light floating still in the air.
I wonder if we can find more mystic beauty of a room light than this.

GLO-BALL/Jasper Morrison
1998/Flos
太陽を思わせる、あかりの原像/グローボール/ジャスパー・モリソン

GLO-BALL | Jasper Morrison　　14 | 15

書籍「デザインの原形」本文より「グローボール」

この椅子の一番の特徴は、大きな背もたれである。
背中を保護し、座った時に自然に腕もかけられる。
足を組み、ひじを背もたれに乗せたポーズが自然に連想できる。
つまり人間の体型に対し、座るという行為を
最も高い自由度でサポートできる形状がここにある。
プライウッド（成形合板）とクロームの細い脚を使った組み合わせとしても
これが原形と言える。他の椅子はここからの派生である。
シンプルな素材の組み合わせだが、ヤコブセンの手にかかると
これだけ完成度があがり、また個性が強くなるのである。

SEVEN CHAIR/Arne Jacobsen
1955/Fritz Hansen
プライウッドとクローム脚の組み合わせ/セブン・チェア/アルネ・ヤコブセン

The most characteristic thing of this chair is its large board for its back-support. It supports and protects our backs when sitting and we can naturally rest either of our arms on it, too.
You can imagine a person sitting on it with his legs crossed and one of his arms rested on its back-support.
The shape of this chair is the most natural one that will allow us to enjoy the act of sitting in the most natural way with the greatest freedom.
The composition of this chair is of only plywood and thin legs made of chrome steel, which is to be the original model of the series. Jacobsen has such a ingenuity to make the combination of these simple materials reach this degree of perfection and give this chair its strong uniqueness.

SEVEN CHAIR | Arne Jacobsen　　20 | 21

同「セブンチェア」

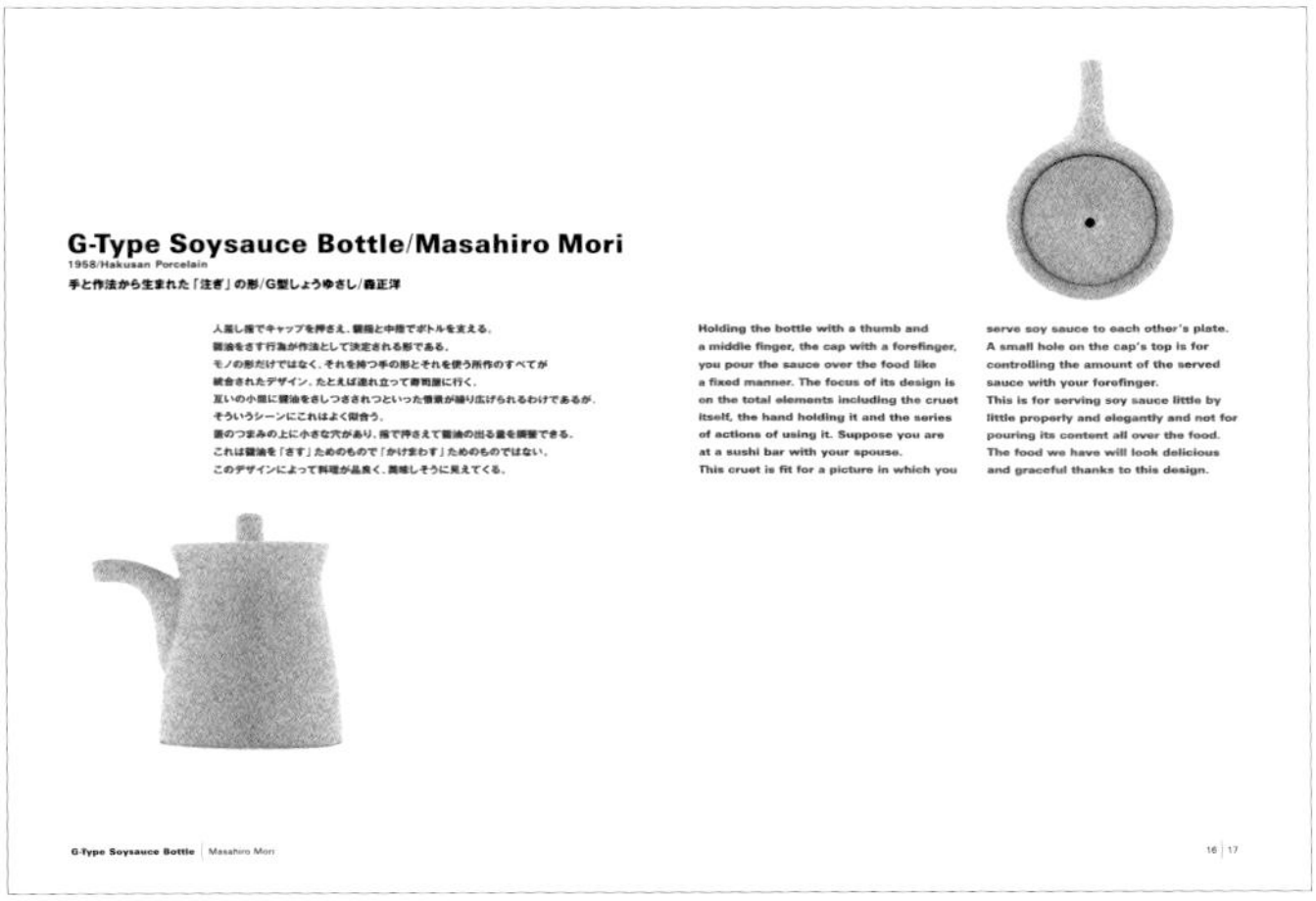

G-Type Soysauce Bottle/Masahiro Mori

1958/Hakusan Porcelain

手と作法から生まれた「注ぎ」の形/G型しょうゆさし/森正洋

人差し指でキャップを押さえ、親指と中指でボトルを支える。
醤油をさす行為が作法として決定される形である。
モノの形だけではなく、それを持つ手の形とそれを使う所作のすべてが
統合されたデザイン。たとえば連れ立って寿司屋に行く。
互いの小皿に醤油をさしつさされつといった情景が繰り広げられるわけであるが、
そういうシーンにこれはよく似合う。
蓋のつまみの上に小さな穴があり、指で押さえて醤油の出る量を調整できる。
これは醤油を「さす」ためのもので「かけまわす」ためのものではない。
このデザインによって料理が品良く、美味しそうに見えてくる。

Holding the bottle with a thumb and a middle finger, the cap with a forefinger, you pour the sauce over the food like a fixed manner. The focus of its design is on the total elements including the cruet itself, the hand holding it and the series of actions of using it. Suppose you are at a sushi bar with your spouse. This cruet is fit for a picture in which you serve soy sauce to each other's plate. A small hole on the cap's top is for controlling the amount of the served sauce with your forefinger. This is for serving soy sauce little by little properly and elegantly and not for pouring its content all over the food. The food we have will look delicious and graceful thanks to this design.

G-Type Soysauce Bottle | Masahiro Mori　　16 | 17

同「しょうゆ差し」

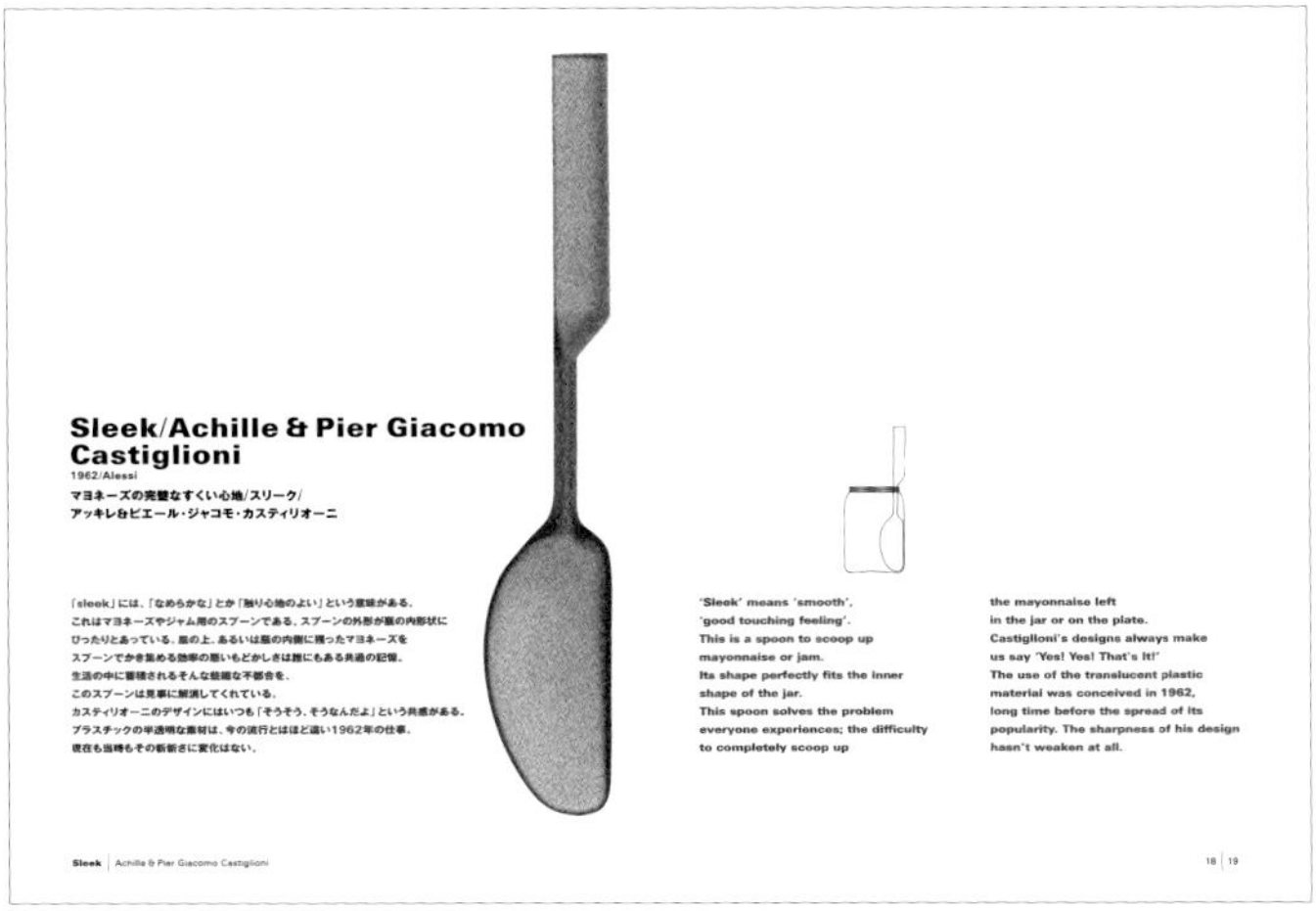

Sleek/Achille & Pier Giacomo Castiglioni

1962/Alessi

マヨネーズの完璧なすくい心地/スリーク/アッキレ&ピエール・ジャコモ・カスティリオーニ

「sleek」には、「なめらかな」とか「触り心地のよい」という意味がある。
これはマヨネーズやジャム用のスプーンである。スプーンの外形が瓶の内形状に
ぴったりとあっている。皿の上、あるいは瓶の内側に残ったマヨネーズを
スプーンでかき集める効率の悪いもどかしさは誰にもある共通の記憶。
生活の中に蓄積されるそんな些細な不都合を、
このスプーンは見事に解消してくれている。
カスティリオーニのデザインにはいつも「そうそう、そうなんだよ」という共感がある。
プラスチックの半透明な素材は、今の流行とはほど遠い1962年の仕事。
現在も当時もその斬新さに変化はない。

'Sleek' means 'smooth', 'good touching feeling'. This is a spoon to scoop up mayonnaise or jam. Its shape perfectly fits the inner shape of the jar. This spoon solves the problem everyone experiences; the difficulty to completely scoop up the mayonnaise left in the jar or on the plate. Castiglioni's designs always make us say 'Yes! Yes! That's It!' The use of the translucent plastic material was conceived in 1962, long time before the spread of its popularity. The sharpness of his design hasn't weaken at all.

Sleek | Achille & Pier Giacomo Castiglioni　　18 | 19

同「マヨネーズスプーン」

初期に行われていたならば、生活者全体の意識は変わっていたかもしれない。「マンホールの蓋がなぜ丸いか。丸くないと蓋が穴の中に落ちてしまうから」というのは数学の問題ではなく、デザインの問題である。だから、さらに根本的に言うと、日本人にはデザインの基礎教育が不足しているのである。ただ、ここで僕が書いてきたのは、そういう基礎教育の提案ではない。これからの経済は少なくとも「生産技術」の競争に加えて、フランチャイズの市場に潜在する「文化レベル」の競争になる。それぞれの文化あるいは市場から、いかに他の市場をインスパイアできる製品を生み出せるか。そういうことを予見しつつ、市場という畑を肥やしていくという可能性について僕は思いをめぐらせている。その方法は無数に考えられるが、マーケットの要望に応えつつもユーザーの美意識に密やかに働きかけ、エデュケーショナルな影響力を生むような、そういうデザインを目指していたい。これがコマーシャルな局面に関与する上での自分にとっての「大局」ということになるかもしれない。

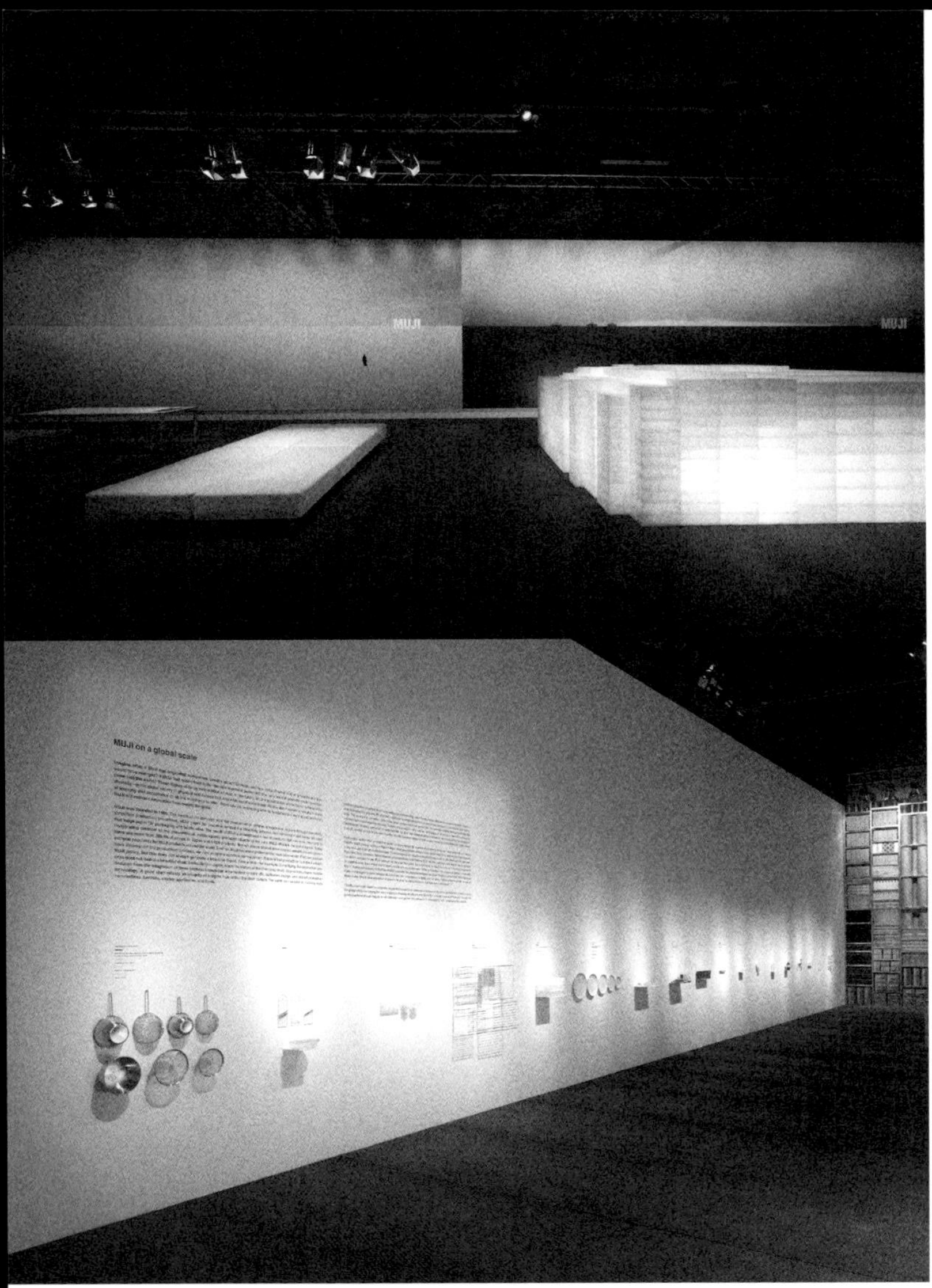

二〇〇三年のミラノサローネで開催された「無印良品」展　写真・Nacása&Partners

MUJI
MUJI
MUJI
MU

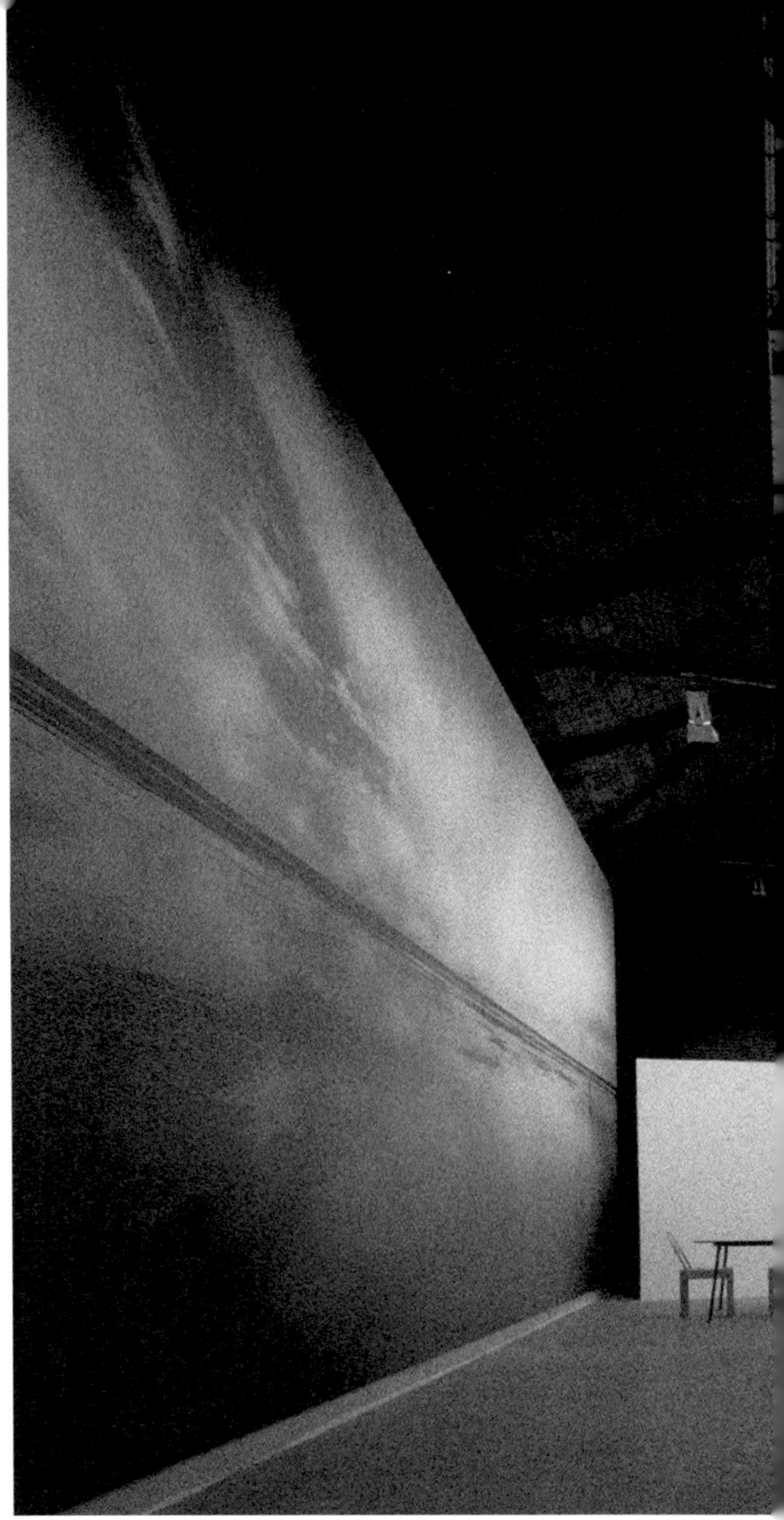

ミラノサローネでの「無印良品」展。究極の合理性を探し当てていく無印良品のヴィジョンを表明するとともに、世界各地の文化や才能との積極的なコラボレーションを呼びかけた。インテリアを杉本貴志、展示商品選定を深澤直人、展覧会グラフィックスを原研哉がそれぞれ分担している。
写真・Nacása&Partners

第六章　日本にいる私

日本をもう少し知りたい

訪れた海外の都市の名をノートに書き連ねてみると一〇〇に近い。感動を与えてくれた街はいくつもあるし、新しい刺激をもたらしてくれた場所も多い。しかしそのいずれにも住もうと思ったことはない。僕は東京を自分の居場所と考えている。ニューヨークには住まない。ベルリンを拠点にしようとも考えない。日本の東京という場所に腰を据えて、世界に向き合うことが自然だと感じている。

東京は好奇心の旺盛な街だ。世界のどの都市よりも他の文化から情報を集めることに熱心である。そしてそれらの情報をていねいに咀嚼して、世界に起こっていることをリアルに理解しようと勤勉な知性を働かせている都市でもある。自分たちの立っている場所が世界の中心ではない、そしてもとより世界に中心などないのだという意識がその背後には動いているような気がする。だから自分たちの価値観で全てを推しはかるのではなく、他国の文化の文脈に推理を働かせつつそれを理解しようとする。その熱心さの理由はやはり日本という国が経てきた厳しい近代化の経緯に負うところが大きいのだと思う。

日本はこの五〇年あまりの間に敗戦を経験し、あろうことか原子爆弾の被弾を経験した。そして高度経済成長とともに世界を動かしている富の意味を知り、また工業の急速な進展から環境汚染を引き起こし、それを克服することで自然や環境の重要性について身をもって体験した。さらにはバブル経済の崩壊によって、投機によって変動する経済のはかなさをも経験した。少し過去へと視点を移すなら、僕が生まれるわずか一〇〇年前の日本は江戸時代である。一〇〇〇年を超える文化の蓄積の上に三〇〇年の鎖国を加えてその独自性に磨きをかけた時代であった。この純日本とも言える江戸文化を思いきって西洋化へと転身させた明治維新という文化革命の凄まじさは、現在の自分たちの状況からはリアルに想像するすべもない。しかしおそらくは西洋化における情報収集や学習に費やしたエネルギーは想像を絶する量であり、また自らの伝統文化と西洋文化の齟齬にはさぞや心を痛めたに違いない。

デザイナーとして日本の近代史を振り返ることは、分裂した文化や感受性を想像することでもある。もしも僕が江戸幕府に勤務するデザイナーだったら、明治維新を目の当たりにして切腹していたかもしれない。もちろん、敗戦を経てアメリカン・カルチャーと融合していくこと、さらに今日においても、人やものの流通や加速する経済を通して世界の多様性と接していくことも文化的には様々な葛藤を含んでいる。

日本の近代史は文化的に見ると傷だらけである。しかし自国の文化を何度も分裂させるような痛みや葛藤を経た日本だからこそ到達できる認識もある。日本人は常に自身を世界の辺境に置き、永久に洗練されない田舎者としての自己を心のどこかに自覚しているようなところがある。しかしそれは必ずしも卑下すべき悪癖ではない。自己を世界の中心と考えず、謙虚なポジションに据えようとする意識はそのままでいいのではないか。アメリカのように世界の中心に自身を据えるのではなく、むしろ辺境に置くことで可能になるつつしみをともなった世界観。グローバルとはむしろそういう視点から捉えるべきではないだろうか。世界を相対化する中で、自分たちの美点と欠点を冷静に自覚し、その上でグローバルを考えていく。そういう態度がおそらくは今後の世界には必要になるはずだ。

考えてみると日本は、アジアの東の端という世界の地勢においても特殊な場所に位置している。ジャーナリストの高野孟がその著書『世界地図の読み方』で日本の位置について面白い視点を紹介している。地図を九〇度回転させ、ユーラシア大陸を「パチンコ台」に見立てると、一番下の「受け皿」の位置に日本が来るという。そう言われてみると、確かにユーラシア大陸はパチンコ台に見えるし、日本は全ての玉を受け入れる最下端の受け皿に見える。そして文化の伝承や影響の経路も、これまで考えていた画一的な発想から自由になる。文化の伝播経路はローマからペルシャを経て敦煌へ至るいわゆる「シルクロード」を通り、中国、朝鮮半島を経由してくるものとばかり考えていた。主にはそうだったかもしれない。しかし、このように地図を眺めると、落下

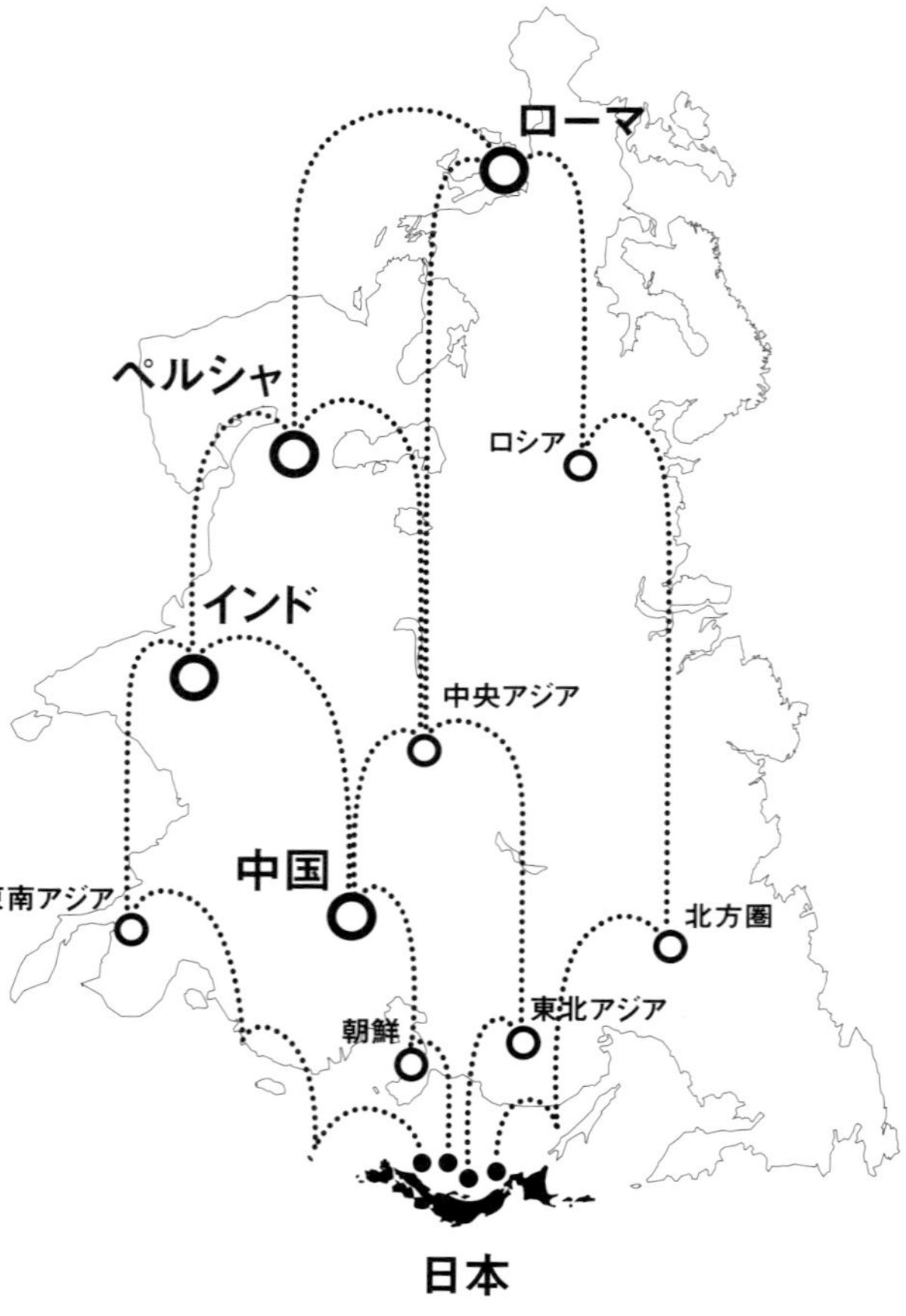

高野孟著「世界地図の読み方」を参照して描いた図

するパチンコの玉の道筋は無数にあったはずだと想像の翼がばさばさと広がるのである。台湾、琉球につながる海のシルクロードは当然、オセアニアやポリネシアからの海洋系・漂着系ルートもあっただろう。また、北のシベリアやツングース文化圏を経てサハリンを経由しても、玉は受け皿に転がり落ちたに違いない。モンゴル高原を突っ切ってまっすぐにすとんと落ちてくる玉もあったはずだ。日本から下は何もない。太平洋という奈落を背にして到来する文物の全てを受け止めるポジション。そこに日本は存在し続けた。辺境といえば確かに辺境であるが、これほど世界に対してクールな構えを持てる場所は少ないのではないか。高野孟はそういう視点を提示してくれている。このユニークな地勢的な視点に、僕は本当に目からウロコが落ちる思いであった。

日本文化のシンプル志向や、空っぽの空間にぽつりとものを配する緊張感はアジアの中でも特殊である。他のアジア地域は装飾ひとつとっても高密度で稠密なディテイルを持つ。しかしながら日本は一転して簡素で空っぽをよしとする発想がある。「数寄」とか「寂《さび》」そして「間」などというセンスの土壌は何なのか。それらは何に起因するのか。そういう問いに対しては長い間、納得する答えが得られないままであった。その疑問がこの九〇度回させた地図を眺めるうちに霧消していくように感じられた。別の言い方をすると、腑に落ちたということか。様々なルートから多様きわまる文化を受け止める日本は相当に煩雑な文化のたまり場だったのだろう。それら全てを受け入れ、混沌を引き受け続けることによって、逆に一気にそれらを融合させる極限のハイブリッドに到達した。すなわち究極のシンプル、つまりゼロをもって全てを止揚することを思いついたのではないか。何もないことをもって全てをバランスさせようという感覚に到達したのではないか。日本を最下端に配したユーラシア大陸を眺めるとそんなふうに納得できるのである。

日本の美意識は、辺境から世界を均衡させる叡智として育まれたものである。アジアの東の端というポジション、そこに育まれた独特の文化的な感受性、そして近代化に向かう過程で経た厳しい経験を背景に冷静に世界に向き合えるというスタンス。それらを合せ持つのが今日の日本であるはずだ。そういう場所にせっかく生まれたのだから、僕はそこに住んで世界に耳を澄まそうと思う。その場所に感覚の根を張って、細かい根毛を高密度に茂らせてみたいと思うのである。

『陰翳礼讃』はデザインの花伝書である

このところ、友人が相次いで谷崎潤一郎の『陰翳礼讃』の再読を勧める。ひとりは物書きの原田宗典で、もうひとりはプロダクトデザイナーの深澤直人である。深澤はデザイン誌に書評を書き、原田はごていねいに文庫本までくれた。ふたりがともに印象を語ったのは「羊羹」のくだりである。羊羹というものは暗闇で食べる菓子であると谷崎は指摘する。日本家屋の薄暗がりの中で食すので羊羹は黒い。陰翳に溶けて形もさだかではないそのかたまりを口に含むとこのうえなく甘い。その感覚が羊羹という菓子の本質であるという。その着眼にこのふたりは各々に感銘を受けたらしい。もちろん、個々の読み方は微妙に違っているが、双方共通してそこを褒めた。学

「無何有」室内　写真・藤井保

生時代にこれを読んでいたので、話を聞いたときには、ああ、そんなことが書いてあったなあ、という程度の印象しか持たなかった。しかしあらためてこれを読み返して気づいたことがある。これは日本的な感性に対する優れた洞察でもあるが、デザイナーとしての現在の自分には、むしろ厳しい西洋化を経て到達し得た日本デザインの花伝書に見えたのである。それは、もしも日本が近代化を「西洋化」という方向で行うのではなく、日本古来の伝統文化に近代科学を受胎させ進化させることができたならば、おそらくは明治維新を経た日本とは全く異なる、そして西洋に対して向こうを張れるユニークなデザイン文化が生み出せていたのではないかという発想である。照度の強すぎる西洋近代のあかりの下ではなく、陰影の中に展開していく日本的デザインの可能世界をひも解いて見せるのが『陰翳礼讃』なのである。これが書かれたのは八〇年ほども前になるわけだが、優れた着想は古びない。おそらくは今日においても谷崎の仮説は有効である。これをデザインの書として読むならば僕らは日本の伝統文化のその先に、これまで経験したことのない未知なる現代性を開花させることができるはずである。

僕はアンチ・グローバリズムの観点からこの文章を書いているのではない。また、日本ローカルの美点を世界にアピールしようとしているわけでもない。既に活発に交流をはじめて久しい今日の世界に向かって、個別文化の独自性をことさら主張するのはナンセンスである。ただ、世界の普遍的な価値に寄与できる日本の冴えた側面を自覚していくことには意味があるはずだ。日本に生まれたデザイナーとして、静かに自分の足もとを掘ることに僕は意識を傾けたいのだ。それは別の言い方をすると、もう少し日本のことを知りたいということなのかもしれない。世界に出て行くたびに、逆に日本への思いはつのり、またその文化を全く体現し得ていない自分をもどかしく思う。その思いがどこかに通じたのか、近ごろは日本の美点を今に伝える優れた場所や文化、そしてそれらを担っている魅力的な人々と出会う機会が増えた。ここではまず、日本を再度見つめようと目を凝らした先に見えてきたいくつかの事例をご紹介しようと思う。その後で、自分がデザインを通して関与したささやかな事例について少し記してみたい。

成熟した文化の再創造

これからしばらくの間、日本はにぎわいと活況を呈する中国をそのすぐ脇で眺めることになる。それは隣の街にできた巨大ショッピングセンターのようなものである。その喧噪は疎ましいが、ある意味では経済世界に厳然とあらわれた新しい基準でもある。かつての経済の繁栄を個人個人のちょっぴりとした蓄財として抱え込み停滞している現在の日本には強すぎる刺激である。しかし、日本はこれに影響を受け過ぎて浮き足立ってはいけない。アジアの東の端というクールなポジションに、自身の分をわきまえた、筋の通ったたたずまいをつくっていかなくてはならない。あたかも座禅を組むかのように静かに、内省的に。間違っても中国と同じような活況を自国に呼び起こそうと、軽率な行動に走ってはいけない。四〇〇〇年の文化の資源を埋蔵しつつ一三億の人間が経済の爆発を待っている国に歩調を合せてはいけない。高度成長はたとえて言うなら疲れを知らない青春時代である。日本は既にその青春を経た国である。世界の中では、経済も文化も成熟の時期にさしかかろうとしている場所である。そして、そこに住む生活者たちは、人間の幸福が右肩上がりの経済の活気の中だけにあるのではないということをも十分に承知しているはずだ。だから「異国文化」「経済」「テクノロジー」という世界を活性させてきた要因と、自分たちの文化の美点や独自性を相対化し、そこに熟成した文化圏としてのエレガンスを生み出していくことを、これからははっきりと意識する必要がある。そうしないと、日本は、世界の人々にとって、もはや訪れる価値のない、自国の経済や文化資源の相応しい運用に気づかずそれを放棄してしまった軽薄な場所として忘れ去られることになるかもしれない。

成熟した文化のたたずまいを再創造する。おそらくは、そういうヴィジョンからの再出発がこの国には必要なのだ。ここではそういう視点で、示唆を与えてくれそうな話題を探してみた。抽象的な話ではなく、巨大開発でもなく、個の力で実現しつつある小さな具体例をいくつかご紹介したい。

自然がもたらすものを待つ――「雅叙苑」と「天空の森」

はじめは、鹿児島空港に程近い旅館「雅叙苑」の経営者、田島健夫の新たなプロジェクト「天

「雅叙苑」のたたずまい

空の森」である。雅叙苑は日本全国にあまたあるよくできた温泉宿とは明らかに違う。茅葺きの棟が並び、鶏が元気に走り回るその場所には、窮屈な「こだわり」からは程遠い、ものの本質だけをぴしりと押さえた張りのある空気がある。茅葺きの離れの前の柴垣にこんにゃくが干してある。階段状にくり抜かれた石の水槽には水が静かに溢れ、そこに野菜が冷えている。露天風呂へと向かう道中には囲炉裏を設けた東屋があり、頃合いに応じて、竹筒に入った焼酎のお湯割りが数本、炉端に刺さる。客は勝手にそれを飲む。食事にはその日に切った青竹の箸が供せられる。料理はいわゆる高級食材ではないが、天然物の力がこんこんと湧いている。要するにここには人工的なオペレーションがない。自然とつきあうということは「待つ」ということであり、待つことによって自然の豊穣が知らぬ間に人間の周囲に満ちる。雅叙苑の田島はそういう自然の贈与を自らの空間に注ぎ入れる術を心得ている。そこがこの施設と他を分ける圧倒的な独自性である。そんな具合だから雅叙苑はいつも人気である。人気だが、お客でにぎわっているというふうはない。そういう風情を愛する客で静かに満ちていて、上等のたたずまいが醸し出されている。

その田島が山をひとつ買った。竹やぶだらけで一見して使い道が考えつかないような三二ヘクタールの山だ。ただ、立地は、頂上から霧島連峰を望む素晴らしい眺望と、外部からのあらゆる視線から隔てられた異界性が確保できる。この山を田島は独力で手入れした。びっしりと山を覆う竹の除去。これは客観的に見るとほとんど絶望的な作業であるが、彼は少ないスタッフとともに七年かかってやりとげた。竹を取り除いた山は雑木林に覆われた涼やかな景観に一変した。も

天空の森

はやどこから見ても一等のリゾート地である。しかしここに大きな宿泊施設をつくろうとは考えていない。わずかに五つほどの部屋をこの敷地に点在させる予定だそうだ。三二ヘクタールにたった五部屋。そのスケールは、通常の感覚をあまりに超えているが、自然の中に人間が幸福を感じられる理想郷をつくろうとすればこういうことになるのかもしれない。それは旅館経営ではなく森林経営である。人工的なものから隔絶し、自然のリズムの中で時がうつろう場所をこの人は経営したいのだ。手をかけて何かを加工するのではなく、自然がもたらすものを待つ。おそらくはアダムとイブのような気分にひたれる場所がそのうちに出現し、世界がこれまで持っていた「リゾート」という概念は、この森林空間によって静かにうち砕かれるであろう。現在、山頂付近に、木製の広いテラスが遠い霧島連峰に向かってしつらえられ、絶景の露天風呂が試作されている。

世界の目で日本の上質を捉え直す――「小布施堂」

次に紹介するのは長野の「小布施堂」である。ここは江戸時代に葛飾北斎のパトロンであった高井鴻山という文化人の流れを汲むところで、本業の栗菓子の店舗や工場をはじめ、酒蔵、和洋のレストランやバー、北斎美術館、庭園などがひとつのエリア内に散在している。主人の市村次夫を中心に良質な文化を見る目を持った才能が集まっている。アメリカのペンシルバニアから長野オリンピックを契機に小布施に入り、今では小布施堂の総合的なプロデューサーとして活躍するセーラ・マリ・カミングスもそのひとりである。彼女は敷地内にある酒蔵「桝一市村酒造場」を改修して、そこに酒の販売店舗と、和食のレストランをつくった。その設計を引き受けたのは香港在住の建築家ジョン・モーフォードである。日本では新宿にあるホテル・パークハイアットの内装を手がけている。良質の和の空間を設計できる建築家を探していたセーラの目にとまったのが新宿のパークハイアットであり、そこから香港のモーフォードに辿り着いた。モーフォードはかつてフランク・ロイド・ライトに師事したアメリカ人建築家である。アジア文化に傾倒し、香港の雑踏にオフィスを構えた。小布施の酒蔵の再開発を担うふたりがアメリカ人である点は示唆的である。今日、日本文化を世界の文脈の中で正当に価値づけられるのは日本人ではないのかもしれない。モーフォードはレストランをオープンキッチンとして設計したが、開放された厨房は、一角に大きな飯釜がふたつ乗るかまどが堂々と据えられた和の構えとなっている。そこで酒蔵の法被を着て調理し、配膳する男衆は、セーラによって、厳しく所作や食器の持ち方などがしつけられている。使用する塗りの器や、有田の磁器などにもセーラのディレクションが入っている。たとえば、男衆はひとつの器を両手で持たず、片手にひとつずつ、しかも大ぶりの器とする。そしてそこに描かれる蛸唐草は通常より密度を濃く、などという指示や差配で器と配膳の作法がきめられてくるのである。レストランだけではなく、利き酒師の免許を取得したセーラは、この蔵でかつて醸造されていた「白金」という酒を復刻した。蔵の杜氏もセーラのヴィジョンを受け

小布施堂「蔵部」室内

入れている。ブロンドヘアのセーラは、そういう自分でなければ動かせない日本というものを明確に意識して、蔵の杜氏や町の役人を動かしているのだ。一連のムーブメントは、この場所に大きな文化的な吸引力を生み出し、毎月、月と日の数字の重なる日に、日本各地から呼ばれる講師を中心としたセッションが開かれ、耳目を集めている。

何もないことの意味を掘り下げる――「無何有」

もうひとつ、温泉旅館の話をしよう。これは加賀にある「べにや無何有《むかゆう》」という旅館である。もともとは「べにや」という名前だったが、新しく「無何有」という別棟を加えた。これはその別棟の建築を担当した建築家の竹山聖の命名である。「無何有の郷」とは荘子の言葉で、何もないこと、無為であることを言う。しかしそこには価値観の転倒があり、一見無駄で役に立たないようなものほど実は豊かであるというものの見方を含んでいる。器は空っぽであるからこそものを蔵する可能性を持つわけで、未然の可能性を持つことにおいて豊かなのである。可能性の潜在を「力」と見立ててそれを運用しようとする思想は古来より中国にも日本にも共通してある。竹山聖はこのような「何もない」という潜在性を力とする発想をもってこの旅館の別棟を設計し命名した。そしてこの旅館の主人と女将である中道夫妻はその思想と空間に血を通わせるべく無何有を運営し、そこに力を発生させて人を集めている。

この旅館の特徴は、中心に大きな雑木林のような庭を擁しているところである。京都の寺の庭のような凝った造りではなく、楓や松、椿、花梨などの樹々が自由闊達に繁茂している。ほどよく放置された自然の中には往々にして勢いのある天然の造形が満ちる。新緑の頃など、楓の若葉はさながら洪水のように庭に溢れる。無何有の全ての客室の窓はこの庭に向いて大きく開口している。したがって若葉の洪水は豊量な木漏れ日となって窓から室内に流れ込む。部屋は竹山聖が整えた和のしつらいであるが、これは流れ込む庭の景観を受け入れる「空」なる空間である。庭の景観、そしてそこに過ごす人の時間をおさめる空っぽの器としてのしつらい。それが無何有である。主人と女将はその「空」の質に気を通わせる。活けられる山草は「空」の空間が「気」のゆきとどいた「間」であることを示すのみで、プラスの装飾としてふるまうことはない。何もないことが価値であるという発想はシンプルな調度にも行き届いており、樹々を揺らす風の音以外は音らしい音もないこの空間を引き立てている。また、全ての客室には居室の窓と隣接して風呂があり、常に湯が満ちている。庭を堪能すべく設けられた湯は樹々を映して檜の浴槽一杯にふくらんでおり、そこに身体を滑り込ませると、乱れる樹々が湯とともに浴槽からこぼれおちる。

また、無何有には音の出るような遊興施設はなく、かわりにゆったりとした読書空間を持った図書室がある。図書室もまた、庭に面しており光は庭の緑からやってくる。庭以外の光は全て障子によって濾過され、やわらげられて室内に届く。そんな空間であるから、僕はこの宿を利用する際には丸一日外出しない。何もない時間と空間の質を楽しむのである。そういうことのできる

「無何有」室内　写真・藤井保

宿はありそうでない。

たたずまいは吸引力を生む資源である

いずれの場合も、人の気持ちを集めないではおかない大きな魅力が発生しているが、天空の森はにぎわいではなく、むしろ静けさをいかに確保するかという点に発想が集約されている。静寂と無人が確保され、抜群の眺望を持つ異界の森に、居室が距離を置いて点在する。これは最高の贅沢であるが、そういうものをサーチする目は世界中に存在し、それがたとえ鹿児島の山の中にあろうが、必ずやこれは発見される。それは世界に潜在する需要に応えるものであり、静寂の文化が世界を吸引するひとつの典型となるかもしれない。

小布施堂の場合は、世界の文化の文脈の中で日本の優位点を把握した上で、それを堂々と現代化し、運用しようという着眼である。また、そういうヴィジョン持った異国人に小布施という歴史的な場をゆだねてみようという主人の慧眼と英断がある。おそらくは、隣に中国の喧噪があればあるだけ、こういうものは輝いて見えてくるはずである。

無何有の場合は、空っぽの器の力をよく把握して運用している。何もないことが価値といっても、それを力として作用させる力は大抵ではない。ここはその程をよくわきまえている。この旅館は少しずつ改装を重ねて理想とする「無」に近づいているが、地道でたゆみない気の通わせ方

「無何有」室内　写真・藤井保

が、そういう力を生み出しているのかもしれない。
未来のヴィジョンに関与する立場にある人は「にぎわい」を計画するという発想をそろそろやめた方がいい。「町おこし」などという言葉がかつて言い交わされたことがあるがそういうことで「おこされた」町は無惨である。町はおこされておきるものではない。その魅力はひとえにそのたたずまいである。おこすのではなく、むしろ静けさと成熟に本気で向き合い、それが成就した後にも「情報発信」などしないで、それを森の奥や湯気の向こうにひっそりと置いておけばいい。優れたものは必ず発見される。「たたずまい」とはそのような力であり、それがコミュニケーションの大きな資源となるはずである。

僕はデザイナーとして、小布施堂と無何有について少しだけお手伝いをした。知人から紹介されてこれらの人々の優れた仕事ぶりに触れ、胸を打たれ、そういう感受性を分けていただくような気持ちでそのお手伝いをしたのだ。小布施堂は、酒蔵の看板や暖簾、そして白金という酒の瓶やラベルをデザインした。白金の瓶はステンレスでできていて鏡のようである。自身を無にして世界を容れるという「鏡」のコンセプトを「器」に反映させたデザインである。無何有はロゴタイプを設計し、写真家の藤井保にこの宿の風情を撮影してもらった。いわゆる説明的な写真ではない。ここで時間を過ごした人たちがその余韻を反芻できるような写真の数々である。それを用いて冊子をつくった。藤井保はすっかりここが気に入って、ときどき投宿し、湯につかっては写

小布施堂、桝一市村酒造場　清酒「白金」　写真・関口尚志

真を撮っているらしい。これは宿の魅力がもたらす副産物であり、結果としてたまった写真をポストカードにしたりコーヒーのパッケージにしたりするのが僕の密やかな役目である。

天空の森や雅叙苑はひたすらお邪魔するだけで、デザイナーとしては何もお手伝いしていない。する余地も理由もない。たまたま、雅叙苑にしつらえられた小さなバーの棚の中に、随分昔にデザインした「アランビック」というブランデーの瓶を見つけて、一緒にいた建築家の隈研吾に自慢した。こういう場所に自分の手掛けた酒瓶が並ぶ幸せをそのときに味わった。

第七章　あったかもしれない万博

初期構想と「自然の叡智」

日本の話に関連して万博の話をしておきたい。僕はアートディレクターとして二〇〇五年の国際博覧会に対する「日本案」のＢＩＥ（国際博覧会協会）へのプレゼンテーションに関わった。一九九六年から九七年にかけてのことである。開催プランをまとめた資料は分厚い書類になるが、これらを分かりやすくプレゼンテーションするためにプロジェクトチームが組まれた。テーマの構想委員として中沢新一が理念を文章にし、会場構想を建築家の團紀彦、隈研吾、竹山聖の三人が受け持ち、僕は構想内容のヴィジュアライゼーションを担当して深緑の和紙で装丁した一冊のバインダーを制作した。映像資料は電通の杉山恒太郎が担当し、プレゼンテーションの統括プロデュースを残間里江子が担当した。プレゼンテーションは九七年の六月にモナコで行われ、ＢＩＥに加盟している国々による投票の結果、カナダのカルガリーと競合していた愛知県は国際博覧会の開催権を獲得した。このプレゼンテーションの内容や、その後に計画されていたプロジェ

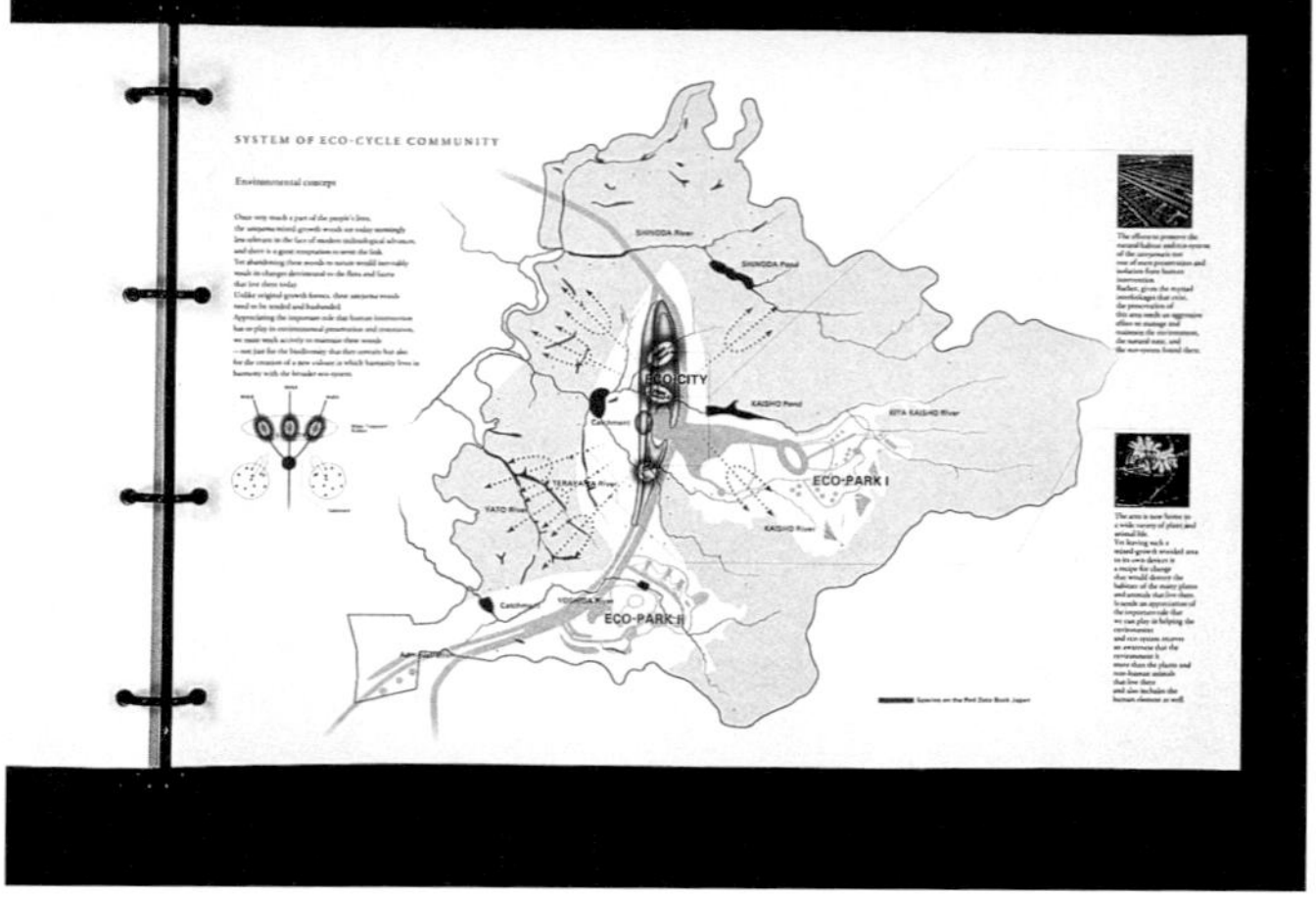

BIEへの日本案プレゼンテーション

クトの残像は今も明瞭に脳裏に刻まれている。現在、二〇〇三年の段階で計画の進んでいる愛知万博はこの初期の構想とは異なるものである。なぜそうなったのか。ここでその是非を議論するつもりはないが、日本の多くの人々は、愛知万博の初期において、どんな構想がもたれていたかを知っておいた方がいい。それは、日本が今日いかなる可能性を持つ国であるかということを考えるヒントになるはずだからである。

日本が提出した博覧会のテーマは「自然の叡智」であった。これからお話することは、コンセプトの構想に関わった人々とのコミュニケーションを通して僕なりに理解した内容である。テーマの意図は大筋において以下のようなものであった。

古来より日本人は、叡智は自然の側にあり人間はそれを汲み取って生きていると考えてきた。これは人間を神の視点に近いところに位置付けて、叡智を人間の側のものとし、荒ぶる野性としての自然を人間の知性で制御しようとした西洋的な思想風土とは異なる発想である。中心に人間を置いて世界に向き合うという西洋的な発想は、生きる主体の意志と責任を表明する態度であり、それなりに説得力を持ってきた。そしてまさに人間主体の発想のもとに近代文明は築かれてきたといっていい。しかしながら今日の文明は自然を制御するどころか、それを壊し続け、自然とともにある自分たちの生命圏をも大きく傷つけてしまったのである。一方で、人間の知性の象徴である科学は、今日ではその先端に立つほどに自然や生命の驚くべき精緻に接触し、それに目を見張っている。人智のおよばない叡智に遭遇し続けることは、人間もまた自然の一部であるという謙虚な思考におのずと導かれる。すなわち、日本人が古来より抱き続けてきた自然観に科学の先端の感性が接近してきたのである。

博覧会のテーマはそのあたりを捉えた言葉である。さらに正確にその理念を伝えるために、ここに万博の構想を担当した中沢新一が書いた「新しい地球創造：自然の叡智」と題する文章を引用させていただく。

「自然は人間に、その富を惜しみなく与え続けてくれました。生み出す力を持った自然は人間に叡智を与え、技術の力を使って、自分の中からエネルギーや資源を取り出すことを許してきたのです。けれども人間は、恩恵に対して十分に報いることがありませんでした。そのために自然は、人間への愛を失いはじめています。だから、二一世紀に私たち人間が取り戻さなければならないものは、自然と生命への共感にみちた、叡智のふるまいなのです。技術は、いたずらに自然を制圧し、取り返しのつかない改造をもたらすものとして、人間に与えられた能力ではありません。それは、自然の中に隠されている自然自身の本質をあらわにし、輝きださせるための技なのです。生命を抑圧したり、管理したりするのではなく、生命の中におさめこまれている無限の情報を取り出して、この世界に豊かな意味をもたらす通路をつくりだす。そんなこともできる技なのです。私たちは、自然と生命の語りかけるものに耳を傾け、お互いの呼びかけの中から、新しいインターフェイスをつくりださなければなりません。技術がリードする文明に、もういちど失われた叡智を注ぎ込み、私たちの心につつましさと謙虚さを取り戻し、人間と自然との、人間と人間との壊れかけた関係に、豊かな回復をもたらすのです。その試みが、日本の小さな森ではじまろうとしています。そこには、二一世紀の人間にとって必要なもののすべてがあります。この森で行われる実験は、人類に共通の課題に、ひとつの魅力的な回答をもたらすにちがいありません。地球上の人間が現在手にしている、技術と芸術と精神文化の可能性のすべてを結集して、この森を、自然と生命への叡智の限りをつくした、来るべき時代の地球文化のひな型として創造してみよう。私たちはそのように提案します」

エコロジーに対する日本の潜在力

今日、不用意に地球や自然環境をテーマにすることほど欺瞞に満ちた行動はない。エネルギーや資源の効率的な運用や、循環型社会に必要なテクノロジーなどについて、現実的な尺度でこれらを整理し諸問題に解答できる用意がないと、その主張に破綻が生じるからである。しかし愛知万博は堂々とこのテーマを引き受けようとしていた。その背景には、思想性だけではなくテクノロジーの裏づけがあった。日本は、環境破壊の過ちを犯したけれども、その痛みを経て逆に自然を蘇らせる技術を磨き上げてきた。つまり環境テクノロジーに関して、世界の切実な局面に向けて具体的に寄与できる実力があったのだ。ＢＩＥへのプレゼンテーション資料をヴィジュアライズするにあたって、当時の通産省の担当官は熱心であり、夜半に仕事場にやってきては日本のエネルギーや環境対応に関する諸状況を詳しく解説していった。おかげでそういう情報に通じることができた。かつての公害を克服した日本は、今日では環境に負荷をかけない様々なテクノロジーを進化させている。一九九七年の時点で、廃棄物を安全に燃やして発電する高性能のタービンが完成しており、その潜在能力はほぼ九州電力一社分の電力供給をまかなえるということであった。トヨタやホンダのハイブリッド・カーなど自動車の省エネルギーや排出物管理への取り組みは世界を確実に一歩リードしている。万博会場に予定されていた森の中に構想されていた近未来型のエコ・コミュニティでは、太陽光発電、燃料電池、バイオガスを取り出すメタン発酵、電力貯蔵、高効率ヒートポンプなどの技術と、これらを効率良く制御するシステムが装備されようとしていた。その結果として、消費エネルギーを通常都市の五〇パーセントに減らすこと、また石油など化石燃料の消費も五〇パーセント減少させることで二酸化炭素の排出を二五パーセントにおさえるという、エコロジーに対してきわめて現実的なデモンストレーションが行われる計画であった。発電だけではなく、中水処理施設を用いて一回使った水をもう一度使うという水の循環利用や、生ゴミを発生源に近いところで処理し、肥料に変えていくというコンポストの分散配置を行うなど、いわゆるエネルギーや資源の循環型モデルを提供できるアイデアと技術を日本は手にしていたのである。地球規模の自然環境をこれ以上悪化させないためには、今後中国など著しい発展が見込まれる地域での都市のインフラストラクチャーがクリーンでなくてはならず、そういう局面でリーダーシップを発揮できる実力を日本は持っている。二酸化炭素の排出に関して、地球の温暖化を進めないためのぎりぎりの数値が合意されたはずの京都議定書ひとつ守れない今日の世界で、日本がしっかりと筋の通った発言をするチャンスがそこに盛り込まれていた。

森の中に何があったのか

この計画の重要な点は万博が森の中で行われることであった。テクノロジーは進化するほどに自然に接近していく。これがテーマを横断する考え方であり、テクノロジーを自然と対立する場所におかず、共存させる発想に意味があった。森の中でそれを実現することが「自然の叡智」というテーマを象徴的に実践することになる。絵に描いた餅ではなく本当に自然とテクノロジーは融合できるか。その答えを森の中に見つけようとしていた。

会場の候補地は瀬戸市のやきものの歴史と分かちがたく結ばれた森であった。窯業が盛んな瀬戸の町に隣接するこの一帯は、陶土の採取や、燃料を調達したりするいわゆる薪炭林として利用されてきた。そのために幾度となく禿山となり人工的な植林でその度に蘇生された森である。現状では人工林と天然林が混在する森で、豊かな生物相を見せているが、これは国土の九〇パーセントが山林の日本ではおなじみの、自然と人里の境界領域すなわち「里山」の姿である。

自然保護の発想はともすると「手つかずの自然」を神聖視しがちであるが、元来は人も自然の

EXPO
JAPAN
2005年日本国際博覧会
THE 2005 WORLD EXPOSITION, JAPAN
Name: The 2005 World Exposition, Japan
Period of Exposition: 25 March to 25 September 2005
Proposed Site: Southeastern part of Seto City, Aichi Prefecture
2005

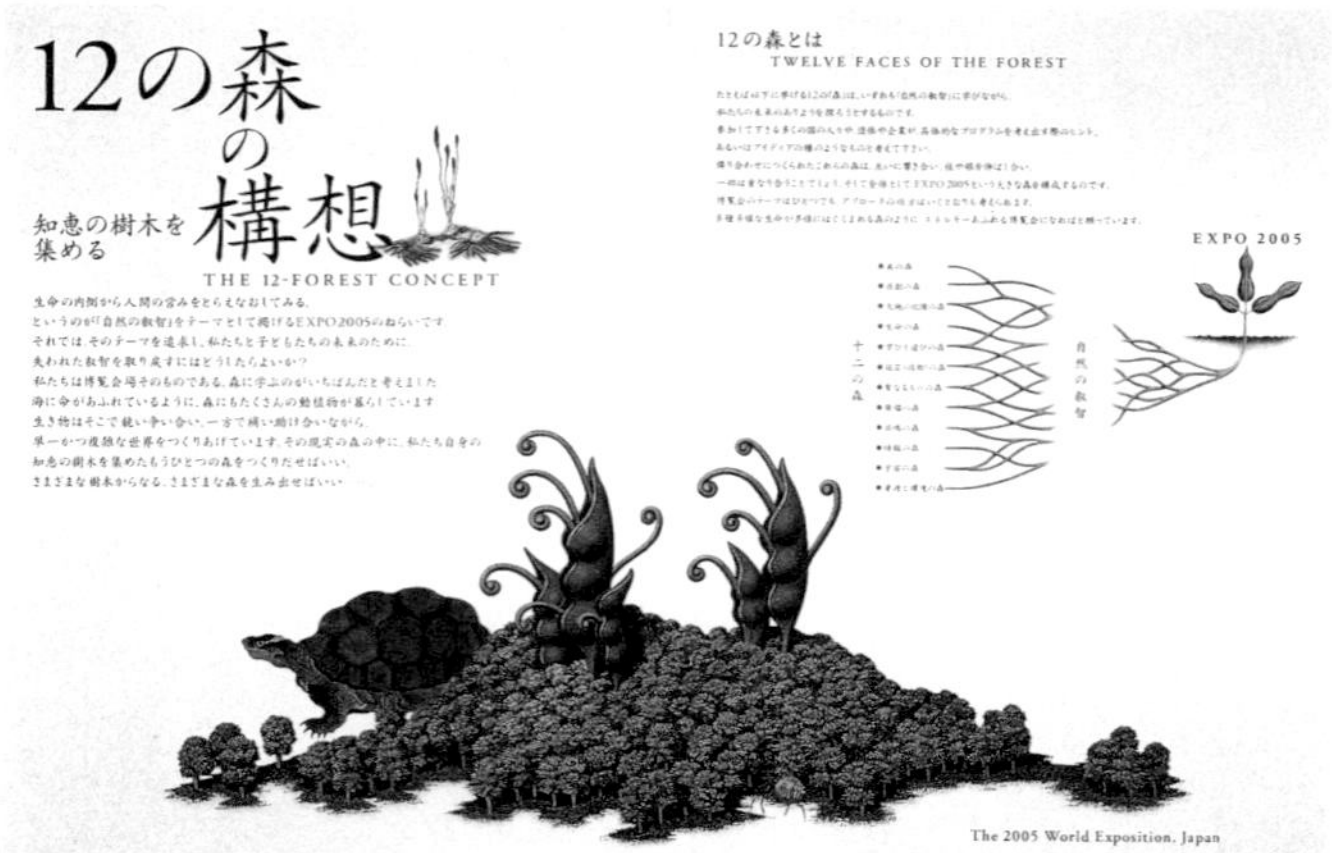
12の森の構想
知恵の樹木を集める
THE 12-FOREST CONCEPT
生命の内側から人間の営みをとらえなおしてみる。
というのが「自然の叡智」をテーマとして掲げるEXPO2005のねらいです
それでは、そのテーマを追求し、私たちと子どもたちの未来のために、
失われた叡智を取り戻すにはどうしたらよいか?
私たちは博覧会場そのものである、森に学ぶのがいちばんだと考えました
海に命があふれているように、森にもたくさんの動植物が暮らしています
生き物はそこで競い争い合い、一方で補い助け合いながら、
単一かつ複雑な世界をつくりあげています。その現実の森の中に、私たち自身の
知恵の樹木を集めたもうひとつの森をつくりだせばいい。
さまざまな樹木からなる、さまざまな森を生み出せばいい。
12の森とは
TWELVE FACES OF THE FOREST
EXPO 2005
自然の叡智
The 2005 World Exposition, Japan

EXPO 2005 パンフレット

一部であり人と交流する森もまた豊かな自然なのだ。むしろ薪炭林としての利用が減り、人為による林床管理が行われなくなった山林は荒廃していくことが指摘されている。下草を刈り、間伐を行って、森林の健康な育成を助けるのが林床管理である。人為と自然がほどよく作用しあうこのような「里山」には原生自然よりもむしろ豊富な生物の多様性が観察されるという。万博で構想されていた循環型の都市モデルはこの「里山」そのものがイメージの下敷きとしてある。そこに人為と自然との相互作用からなるエコ・コミュニティを実現しようとしたのである。

一方で、この万博の提案の中には、万博そのもののルールを刷新しようという意図もあった。つまり平地を切り開いて大造成を施し、そこを区画してパビリオンを並べるという「ゲームのルール」を変えようという意図が織り込まれていたのである。一八五一年にロンドンで開催された当時の万博は、まさに世界の文物を集めて「博覧」することに意味があった。だから鉄とガラスでできた巨大空間「水晶宮」には世界から集まったおびただしい文物を展示するスペースを提供する意義があった。ロンドン万博以後、実に様々な場所で万博は華やかに開催されてきた。ただ、人の交通やものの流通が活発になるにつれて、万博は当初の意義と役割を次第に失い続けてきた。それでも一九七〇年の大阪万博あたりまではいい仕事をしていた。大阪万博は成熟しつつあったテクノロジーを大衆社会に普及させる役割としてよく機能した。しかし現在のように交通・輸送手段や情報伝達メディアが発達してくると、万博の基本である博覧・展観という意味は薄らいでしまう。何かが見たければインターネットで探せばいいし、それに触れたければ自分の体を運べばいい。ヨーロッパなら一二時間で行ける。また、建築そのものが仮設性を帯びはじめ、実験的な内容を含んだ建築が次々と立つ時代にパビリオンが担う建造物としての魅力は薄い。しかも短期間で終了するものにお金をかけること自体が無駄である。資源の無駄遣いにもなる。

もし万博に今日的な意義があるとするならば、それは近未来の最も重要なテーマを指し示し、次の時代の技術と思想の種を育むことである。そしてわざわざ体を運んでそこに行かなければ体験できない情報をそこに生み出すことである。

エコ・コミュニティの構想はテクノロジーの新たな実験であったが、それは大規模な造成で自然を破壊する実験ではなく、いかにソフトに、いかに繊細に、テクノロジーを自然に寄り添わせるかという実験であった。森の中であるために、高密度な都市機能は一部に集中させて、全体としては極めて簡素で低負荷の施設を地形に添わせて布設する計画が練られていた。「森の万博」という構想には、パビリオンの林立を抑制する仕組みが組み込まれていたのである。

また、体をそこに運んで体験する内容についても、いくつかの画期的なアイデアが検討されていた。たとえば、会場の「森」そのものを「生きた展示資源」とみなす考え方がそれである。そこに蟻の巣があるなら、最先端のカメラや映像技術は、その微細な空間を素晴らしいリアリティで来場者に体験させることができる。まさに「蟻」になったようなリアリティで「蟻の巣」が徘徊できる。森に生えている草の根毛から、植物細胞に入り込むことだってできるかもしれない。「鳥の目、虫の目になって森を体験する」という言い方を当時の企画担当者たちはよくしていたが、先端技術を用いれば、微生物や遺伝子のレベルで「森」の精緻を探訪できる可能性もある。要するに「森の外」から大量に展示物を持ち込むのではなく「そこにある自然」を無限の展示資源とするのだ。

叡智は自然の中にある。生命の内側からその営みを捉え直してみるというのがこの計画の基本であった。「パビリオン」や「巨大映像」など、「前世紀の遺物」は存在しなくていいはずだった。ハイテクの眼鏡をかけるだけで、森は水晶宮になるはずだった。そしてテクノロジーは自然の対局にある概念ではなく、自然の精緻に連続するものとして位置づけ直されるはずだったのである。

デザインのパースペクティブ

一九九八年に、デザイン専門委員を委嘱された僕は、パンフレットや、カレンダーそしてポスターなどのメディアを通して、この構想のプロモーション・デザインをスタートさせた。万博は未来を向いたイベントであるが、ここで提示される未来はいわゆるレーザー・ディスクのようにレインボーカラーに輝くピカピカしたものではない。進化するほどに自然と見分けがつかなくなるような、自然と深く融合していくシックなハイ・テクノロジーのイメージである。これを表現するモチーフとして僕が用いたのは、二〇〇年ほど前の江戸時代に描かれた『本草圖説』という博物図絵であった。

『本草圖説』とは何か。専門家によると「本草学」というのは、薬学として古代に中国から伝わったものであるそうだが、江戸時代になると、動物や植物など自然科学が扱うすべての分野にわたる研究へと発展したということである。江戸幕府の奨励もあり、また太平の世であったということもあって、一種の自然科学ブームのようなものが当時、起こっていたらしい。動植物や水生生物、鉱物などを詳細に描きしるした言わば「原色百科事典」のようなものが多数制作された。『本草圖説』はそのひとつ。著者は高木春山。和綴じの造本で全一九五巻。全て手書きなので、オリジナル一冊きりである。本草書のコレクター岩瀬弥太郎がこれを所蔵し、後にこれらは愛知県西尾市に寄贈された。こういう書籍の存在をうすうす知ってはいたが、西尾市の図書館で直接これに触れて僕は感動した。人間が自然の造形に敬意を持って懸命に写し取ろうとしている、その息づかいが生々しく伝わってくる。今なら写真を撮れば済むだろうが、当時は手で描くしか方法がなかった。ひたすら目と手を鍛練して自然を克明に描きつくそうとしている。そこには自然の創造性を崇拝する真摯なまなざしがある。そのまなざしは、西洋近代が目指した人間中心の科学ではなく、動物も、植物も人間も同じ地平に居並ぶものと考え、そのそれぞれを、神が宿るべき対象として畏敬する日本古来の自然観を伝えている。まさに明治の改革以前の日本人の目だ。

これこそ次の万博の精神を伝えるヴィジュアルに相応しいと僕は直感した。未来を志向するイベントに古いものを使うのはどうか、と思われるかもしれないが、そうではない。古いものの中

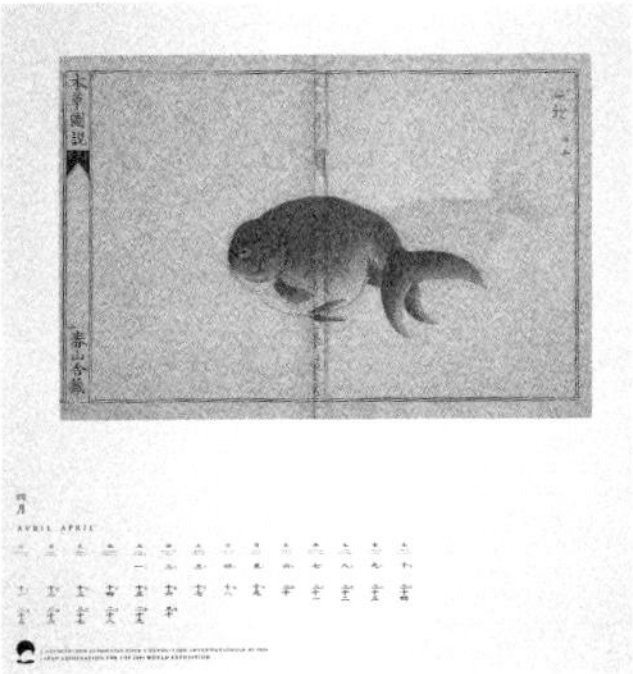

EXPO 2005 AICHI プロモーション用カレンダー

にある今日に重要な価値観を摘出し、未来を語るメッセージとして用いることが新鮮なのだ。それによって太古から未来を見通していく壮大なパースペクティブが表現できる。

この図版を使って、まずカレンダーを、そしてポスターとパンフレットをデザインした。江戸時代の絵師とのコラボレーションである。

身近な自然や生命をキャラクターに

もうひとつ。この博覧会のプロモーション計画に、画期的なアイデアがあった。それはこの博覧会のマークをデザインした大貫卓也が描いていた構想である。大貫もまたデザイン専門委員であり、また、マークの指名コンペへの参加者として競合に勝ち、シンボルマークのデザイナーとしてその活躍が期待されていた。大貫卓也のマークは太い緑色の点線による円で、一見どこにでもある形のようであるが、実によくできている。これは「アテンション」つまり注意を喚起するカタチである。大きな意味で言うなら、人類に注意を喚起するマークである。これを森の写真の中に散在させれば、森の様々なものに注意をはらうように呼びかけているようなイメージを誘発するし、宇宙空間に浮かぶ地球の周りにこのマークをかぶせると地球環境に対して警告を発しているようなヴィジュアルになる。また、コンピュータなどの画面上を動くカーソルに使ってもいい働きをしそうである。僕がポスターやカレンダーに続く、コミュニケーションの方法を考えて

EXPO 2005 AICHI 公式ポスター

いた頃、大貫卓也は万博の総合的な広告プロモーションを構想していた。僕らはたまに顔を合せると、それらの計画について話した。

マークも決まり、最初のポスターが掲出された当時、デザイン専門委員会の次の課題は「マスコット・キャラクター」であった。大貫卓也も僕も、いわゆるぬいぐるみになるようなマスコットでなくてもいいのではないかと考えはじめていた。「マスコット・キャラクター」はコミュニケーションの資源として使えるだけでなく、グッズに展開することで収益源としても働いてくれる。運営側としては当然そういうものが欲しい。しかしそういう部分に画期的なアイデアが持ち込めるなら、それこそが新しい万博のメッセージになる。

大貫卓也はこれについて次のような構想を持っていた。それは、僕らの身近にいるクワガタやカナブン、ヤゴやアリジゴク、キツネノボタンやオオイヌノフグリなど、日本の里山のどこにでもいる生物、植物のすべてを万博のキャラクターにするという発想である。子供たちは現在でも昆虫をはじめとする動植物が大好きである。この「大好き」という本能的な感覚の中に、彼らの興味を万博のテーマ「自然の叡智」に強力に吸引できる下地があると大貫は見ていた。

これは森の中に「自然の叡智」を探していくというコンセプトに合致するアイデアである。海外の番組で「ディスカバリー・チャンネル」というのがあるが、そういうものの中には思わず画面に目を釘付けにされ、見とれてしまうものがある。自然の営みをハイテク技術で巧みに映像化すると時に素晴らしいものができる。あるいはコンピュータ・グラフィックスを用いれば、虫の

EXPO 2005 AICHI シンボルマーク　デザイン・大貫卓也

生態などは実にリアルな映像になる。カナブンの一生を描いたコンピュータ・グラフィックスなど、おそらく子供たちは熱中するに違いない。それはありふれた生物であるほどに身近な共感を呼ぶはずで、子供たちの間でそんな生物たちがスター・キャラクターとなり、それらの情報がポケモン・カードのように巷を飛び交う状況を大貫卓也はイメージしていたはずである。子供たちには子供たちなりの生物への興味と楽しみ方があり、それを観察しながら、その興味がおのずと「自然の叡智」の方向に向かうような広告プロモーションを展開する。ファンタジックなぬいぐるみキャラクターなどは不要である。うまく自然観察ブームが巻き起これば、テレビ番組の中にも自然の叡智に関連する内容が増えて万博への関心が盛り上がる。書店には図鑑の類や、万博のグリーンの帯がまかれた推薦図書がコーナーを形成して注目を集めるはずである。アテンションを喚起するマークはこういう局面で活躍したに違いない。

自己増殖するメディア

僕の万博の仕事として最後になったのは、コミュニケーション・グッズとして制作した「ガムテープ」である。プロモーションにはいわゆる「ノベルティグッズ」のようなものが役立つのであるが、未来や地球環境を標榜するイベントが、ボールペンやコーヒーカップにマークをくっつけて配付するのは恥ずかしい。どうせなら、これらのグッズを年ごとに計画的にデザインして、独自のコミュニケーション・グッズ群としてはっきりとした主張を持ったものにしてはどうかと提案をしていた。この本でもとりあげたが、僕はちょうど「リ・デザイン」の展覧会プロジェクトを進めていて、その中に出てきた坂茂の「芯が四角い断面の紙管で紙を引くとカタカタと抵抗して省資源をメッセージするトイレットペーパー」などはこのテーマに合うのではないかと考えていた。

「ガムテープ」は、そういう計画の第一号であった。日本の身近な自然をモチーフとして「草亀」「ひぶな」「草」をカラーでガムテープの表面に印刷したものである。誤解のないように説明しておくと、これはしゃれた模様が印刷してある「デザイン雑貨」の類ではない。ガムテープを「メディア」と捉えた発想である。通常のグッズは配付されたときだけに記念品として機能するのみだが、これは実際に使用された局面において、さらに次々と万博のメッセージを増殖させるというものである。荷造りの段ボールにこのテープを用いれば、荷物は万博のメッセージに変容する。これが流通ルートに乗ると、様々な人々がそれを目にするだろう。現在はインターネットの時代であるが、地球を飛び回っているのはデジタル情報だけではなく、物質的な荷物もコンピュータ管理のもとにおびただしい数量が流通している。その荷物を万博のメッセージとして活用してしまおうという発想が「ガムテープ」なのである。テープひとつで書類用の封筒なら二〇〇通に封ができる。つまりひとつのグッズが二〇〇倍の効果を生むのである。使い尽くせば形も残らない。全てはメッセージに化けるのである。

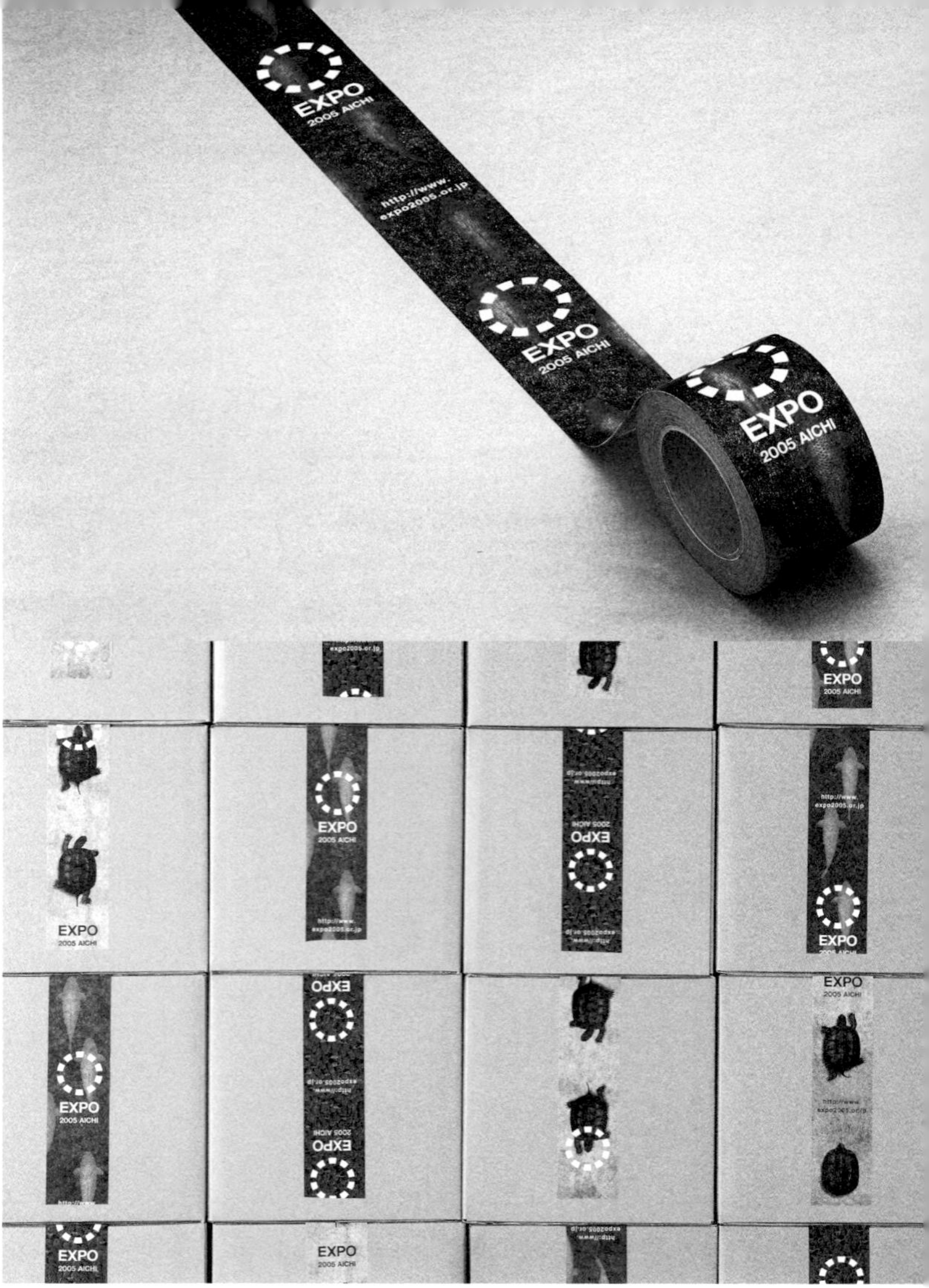

ノベルティグッズ・ガムテープ

こういうコミュニケーション・グッズを、日本中の才能に呼びかけて次々と誕生させる予定であった。順調に行けば万博開催まではショップができたかもしれない。

終わらないプロジェクト

残念ながら万博は森で開催されないことになってしまった。万博は「自然破壊」でありそういうものに「森」を使わせてはならないという世論が盛り上がった。会場候補地であった「海上の森」は手つかずの神秘の森であるかのように宣伝され、某有名キャスターがニュース番組でこう語ったことを僕は鮮明に記憶している。

「この海上の森があるからこそ、この場所は素晴らしいのです。ここが万博会場になっていいのでしょうか?」

「オオタカ」の営巣を理由に会場としての利用を不可能にしようという動きも活発になった。オオタカ問題はまるで平成の「お犬さま」騒動であった。論議の及ばないルールを持ち出し、問答無用でお決まりの結論へ導こうとする。生命や自然は確かに貴いが、自然を「お犬さま」にしてはいけない。いずれの場合も、冷静な議論や相互理解への配慮にあまりにも欠けていた。この森の環境破壊そのものを言うならば、それは低負荷で検討されていた万博そのものではなく、既にそれ以前に森を横断して布設することが決まっていた「高規格道路」の建設や、愛知県が万博の跡地に計画していた新住宅都市の計画の方が決定的であった。高速道路の建設は、地中深く掘り下げて橋脚を建設するために、土地の地下水系を確実に分断する。それは小動物を牛刀で二分するようなもので、森の自然はこれで確実に変わる。また、愛知県は会場候補地のインフラ整備を国の予算で行う手続きをとっていたが、そうすると、イベントが終了した時点で、そこに数千人規模の住宅都市が整備されなくてはならないという法律が発動してしまうのである。万博の推進派の一部は、むしろその矛盾を厳しく指摘していた。しかしそういう根本的な問題は話題にのぼらず、「森」で「万博」をやるのはけしからんという「自然」と「人為」を対立させたままの論議に翻弄され、冷静で本質的な論議には至らなかった。

現在、万博は森を外れた場所で準備されている。大規模造成の可能な会場で「巨大映像」「大観覧車」や「スペクタクル」などを計画して準備が進んでいる。当初の計画に関与していた頭脳や才能はほとんど現状の計画には関与していない。

これらの問題は、ここで簡単に解決のつく問題ではない。万博を「公共事業」と考えて、その経済効果を第一義とする発想もこの問題の背後には強力にある。環境に低インパクトなイベントは公共事業、すなわち大きな土建工事を期待する地元経済の期待にも応えていなかったかもしれない。広報計画にしても、万博と言えば「大阪万博」しかイメージしない世論の影響を軽く考え過ぎていたかもしれない。当初の構想を正確に日本の社会の中に浸透させられなかったことにも問題があり、これは自分たちの責任として反省すべき点である。

しかしながら、このような挫折を経て僕はあらためて考えるのだが、仮にうまくいかない局面があったとしても、デザイナーとしての自分は意図の明確な、意志的な計画に関与したいと思う。「核反対」とか「戦争反対」というような何かを反対するメッセージをつくることに僕は興味がない。デザインは何かを計画していく局面で機能するものであるからだ。環境の問題であれ、グローバリズムの弊害の問題であれ、どうすればそれが改善に向かうのか、一歩でもそれを好ましい方向に進めるためには何をどうすればよいのか。そういうポジティブで具体的な局面に、ねばり強くデザインを機能させてみたいと考えている。そういう意味では、僕の万博はまだ終わっていない。

第八章　デザインの領域を再配置する

世界グラフィックデザイン会議

二〇〇三年の一〇月に「世界グラフィックデザイン会議」が開催される。会議の主体はicograda（世界グラフィックデザイナー団体協議会）という組織で、会議の構想は日本のJAGDA（日本グラフィックデザイナー協会）が担当することになった。そしてこの会議が自分たちの活動の行方を左右する大きな契機になると直感したデザイナーたちが委員となり、計画が進められている。テクノロジーの進展によって激しく流動する社会や世界の中で、その変化の行方を冷静に見通してみたいという思いと、グラフィックデザインを新しい状況の中に再配置しなくてはいけないという思いがこのプロジェクトに関わった委員の共通の意識であった。

この原稿を書いているのは二〇〇二年一一月で、一年後の開催を控えてようやく会議の骨格が固まったところだ。一年後にどう会議が実現していくかは全く予断を許さない。しかし会議の企画を進めていくデザイナーたちがこの時期に何を意識しながらこのプロジェクトに参加しているかという点は重要である。また、実施される会議そのものは通過点に過ぎず、むしろ未来のデザイン思想の目次を構想するような企画や、討議を終えた後その成果をいかに継承・発展させるかという点こそ、このプロジェクトの中核であるとも考えられる。したがって、単なる予告編ではなく、むしろプロジェクトの一環として会議の周辺について記しておこうと思う。

デザイナーの仕事には、実際にデザインを実践するという側面だけではなくデザインというフィールドを社会の適正な場所に再配置していくという側面がある。「デザイン」は日本の社会の中ではなぜか表層的なサービスにとどまりがちで、常に相応しい機能とポジションを主張していかないとその力を発揮する場所が得られずうまく機能しない。また、社会におけるデザインの役割やポジションは、それを問わないまま放置すると、職能の反復によって一定の場所に凝り固まって動かなくなる。デザインは技能ではなく物事の本質をつかむ感性と洞察力である。だからデザイナーの意識は社会に対していつも敏感に覚醒している必要がある。そういう意味でも、時代の変化に応じてデザインのフィールドを揺さぶって、それを世の中の適正な場所に再配置していくことが大事なのだ。

これまではグラフィックデザイナーと言えば、ポスターをつくったりマークをデザインしたりする職能だと考えられてきた。しかしながら、元来、デザイナーはそのような単機能の職能ではない。今日、メディアの多様化や情報の量や速度の増加によって、デザイナーが仕事をする場であるコミュニケーションの環境が大きく変化してきている。それにともなってデザイナーの守備範囲は必然的に拡大し、そういう状況に応じて、コミュニケーションとは何か、情報とは何か、さらにはデザイナーという職能とは何かという基本的な認識の土壌を肥やしておく必要が生じている。そうしないと、デザインが社会の中で担うものの内実が希薄になる。

戦後以来、グラフィックデザインは時代の節目節目で実にいい仕事をしてきた。あるときにはポスターが時勢を映す鏡として高い人気を集め、シンボルマークの効果的な運用は社会の興味を呼び起こしてデザインの力を実証してみせた。しかしポスターやCIは、あくまでひとつの表現の方法であり、それ自体がデザインの目的ではない。時宜に応じて最適な方法を選んだ結果として、あるときはポスターが活躍し、あるときにはシンボルマークが力を発揮したのである。一時期に成功をおさめた特定のスタイルは、注目されればされるほど、本質とは離れたところで大衆化し形骸化する。またグラフィックデザイナー自身も自分たちをアピールする際にポスターやマークを多用し過ぎたきらいもある。結果としてそれが自分たちの職能イメージとして強く焼きついてしまった。だから社会がデザイナーに求めるものは「ポスター」と「シンボルマーク」に集約されてしまう。そしてそれらが新しい時代のコミュニケーションにそぐわなくなったとき、グラフィックデザイナーも一緒に色褪せて見えるのだ。

もちろん、問題はポスターやマークだけではない。商品デザインもウェブデザインも同じことである。単機能をパッケージ化したサービスは、たとえて言うなら簡単に手に入る「頭痛薬」や「胃腸薬」のようなものだろう。軽い症状なら効くかもしれないが、病気が本格的なら効果はない。デザイナーは本来、コミュニケーションの問題を様々なメディアを通したデザインで治療する医師のようなものである。だから頭が痛いからといって「頭痛薬」を求めてくる患者に簡単にそれを手渡してはいけない。診察をするとそこには重大な病気が隠れているかもしれない。時には手術も必要になろう。それを発見し最良の解決策を示すのがデザイナーの役割である。「頭痛薬」を売ることに専念しているデザイナーは安価な頭痛薬が世間に流通すると慌てることになる。

いずれにしても、デザイナーは分断されパッケージ化されたデザインを供給する職能ではない。もしもそういう錯覚が社会に発生しているとするならば、僕らはそれを払拭しなくてはいけない。当然のことだが、あらゆるコミュニケーション、あらゆるメディアにデザインは有効である。コミュニケーションに関与するデザイナーの仕事は、物事の本質を把握し、それに相応しい情報の形を与え、最適なメディアを通してそれらを社会に環流させていくことである。古いメディアに執着する姿勢も、新しいメディアに固執する姿勢も不自然である。マーシャル・マクルーハンの言うとおり、メディアは確かにメッセージであり、新しいメディアには新しいコミュニケーションのセンスやリテラシーが宿るだろう。しかしメディアそのものに創造性の根拠を委ねる発想は短絡である。デザインはあらゆる状況、あらゆるメディアの中で等しく機能する。メディアが進化するならば、それとともにデザインも進化するのである。

僕らの周囲のコミュニケーションの環境を想起していただきたい。テクノロジーの進歩に歩調をあわせようと、新しいメディアの中でデザインの可能性を模索する動きは非常に活発である。電子メディアがもたらしたインタラクティブ性は情報の受発信の主体のめまぐるしい変転を生み出し、それにともなうコミュニケーションの習慣やマナーを変えはじめている。コンピュータの極小化と普及はコンピュータが身のまわりのあらゆるものに遍在する「ユビキタス社会」への論議を活発にしている。しかし一般的には、むしろテクノロジーに翻弄され現代の生活は快適さとは程遠いストレスを抱え込んでいる。テクノロジーに迎合するあまり、その進展に異常に神経を尖らせる「情報過敏症」。混乱した状況を疎ましく感じ、テクノロジーに拒絶反応を起こしてしまう「情報不安症」。そんなものが横行する現状である。一方でテクノロジーはそういう状況におかまいなくどんどん前に進んでいく。そういう環境で僕らはコミュニケーションのデザインに向き合っているのだ。

冷静に周囲を見渡すならば、新たな情報環境の中であればこそ、ストレスのない快適なコミュニケーションへの希求がいたるところで頭を持ち上げており、僕らはその情景を観察できるはずである。デザインはまさにそこで機能するのである。

新聞広告も、パッケージデザインも、ブックデザインも、CＩも、それ自体なくなりはしない。しかしメディアの広がりやコミュニケーション環境の変化とともに、その意味は微妙に変わっていく。その変異をデザイナーは冷静に観察し、より柔軟な発想の中でそれらを再編成していけばいいのである。

広告・プロモーション、商品デザイン、空間デザイン、環境デザイン、ブランド・アイデンティフィケーション、情報の編集デザイン、ウェブデザイン、インタラクティブ・デザイン、エクスペリエンス・デザイン、サスティナブル・デザインなど、今日デザイン活動を形容する言葉は多様である。しかしそのような薄っぺらな言葉の横行とは裏腹に「デザイン」という行為の本質はひとつである。それを認識した上で、どういう形で現代の社会に関与していくかという「自らの職能と社会とのスタンス」を再認識することが、今、デザイナーには必要である。また、そういう広がりに対処できる新しいデザイン知の領域を視野におさめ、それをそれぞれのデザイナー一人ひとりの方法においてものにしていくことが重要である。実際には、デザイナーたちは光に向かうゾウリムシのように本能的に、新しい状況に対応した活動をはじめている。

世界から多くの頭脳と感性が会するデザイン会議は、そのようなデザインと社会の新しい関係性を確認する格好の契機である。まずはデザイナー自身がデザインの本質を確認し、その役割を新しい社会状況の中で捉えなおすこと。それが会議の目的である。それはデザインがより充実した形で社会に受け入れられる素地をつくりなおす作業なのである。そこで確認された新しい関係性の中で「デザイン」はさらに進化をはじめるに違いない。

デザイン知の覚醒

ところで「デザイン会議」とはそもそも何だろう。世の中には「なんとかデザイン会議」と銘打って、おしゃべりな文化人が寄り集まって繰り広げられるイベントが増えてきた。このような場合、会議の開催そのものがひとつの事業として目的化しているために、討議しなくてはならない差し迫った問題があるわけではないのに「会議」は開催される。だから「会議」はだんだんとお気楽な文化イベントとして認知されるようになってきた。

しかしそういう知的な娯楽イベントのようなものではなく、会議そのものに必然性があり、それに参加することで、テーマに関する深い認識が生まれ、多くの刺激や創造性がもたらされたのではないかと思われるエポックが記憶の中にひとつある。一九六〇年に東京で開催された「世界デザイン会議」である。この会議は建築、グラフィック、プロダクトなど幅広いデザイン領域に対して、世界各地から実績のあるスピーカーを招いて開催されている。その会議の記録をひも解くとその参加者たちの緊張が伝わってくる。日本で最初の世界デザイン会議であるということもあろうが、要するにぴんと引き締まった緊張感が記録からうかがわれる。おそらくは、ここで語られそして受けとめられた「デザイン」がこの分野をその後の日本で発展させていく多くの人々を勇気づけ覚醒させたのだろう。

その内容を見ると、講演や分科会も確かに充実しているが、会議の構成が意欲的である。決められた時間割りの中でスピーカーが単独のレクチャーを行うのではなく、ひとつのセッションの結果が次のセッションに持ち越され、多くの分野の人々の討議が重なり、思考が交差していくような仕組みが盛り込まれている。おそらくは、デザインという知の領域を成り立たせる多様な考え方が、この仕組みを通してリアルに浮かび上がってきたのではないか。造形の領域をはるかに越えていくその思考の裾野の広がりが「デザイン」という概念を大きく拡張し、参加者の心を震わせたのではないかと想像される。

状況は異なるが、僕たちもまたデザインについて考えなくてはいけない局面に差しかかっている。変化はテクノロジーの進展にとどまらない。世界経済の新しい局面、「文明の衝突」、そして地球と人類の関係に起因する様々な問題など、ものごとを発想する根幹となる背景や環境が大きく変化している。そういう新しい状況の中でデザインを考えたい。二〇〇三年の会議で、そこに見えるはずのものに目を凝らせばその端緒は見えてくるはずである。

デザインと情報

さて、それでは二〇〇三年の会議はどんなものになるのか。まず、はじめに考えたことは「情報」というものに対するデザイナーの認識を深めたいということである。コミュニケーションに関与するデザイナーが扱うものは「情報」であろうという意識はしだいに固まりつつある。しかしこの「情報」とは何かがよく分からない。はたして情報とは何か。さらに言えばグラフィックデザイナーが扱う情報とは何なのか。

僕たちは情報科学者や技術者ではない。だから同じ「情報」を扱うにしてもそれに触れるポイントが彼らとは異なる。そこでこんなふうに考えてみた。デザイナーが関与する以上、情報は「製品」であるはずである。製品であるとするならば、電気カミソリに品質があるように情報にも品質があるはずだ。この「情報の質」を高めることでコミュニケーションに効率が生まれ感動が発生する。つまり「情報の質」をコントロールすることで、そこに「力」が生まれるのではないか。リチャード・ソール・ワーマンの言葉を借りれば「情報デザインのゴールはユーザーに力を与えること」である。ある情報が世の中に知れ渡ったり、ある場所に人が大勢集まったり、ある情報が人の心を強く揺り動かしたり、ある商品がたくさん売れたりすることの背景にはこの力が動いているはずだ。「情報の質」を高めることによって発生する力は、情報の受け手の理解力を加速するように働くのである。

デザイナーが関与する部分は情報の「質」であり、その「質」を制御することで「力」が生まれる。それは素早く伝達したり大量にストックしたりという「速度」や「密度」そして「量」と言った観点だけで実現する力ではない。「いかに分かりやすいか」「いかに快適であるか」「いかにやさしいか」「いかに感動的であるか」というような尺度から情報を見ていく視点こそデザイナーが情報に触れるポイントである。

最近の脳科学の分野では、物理的なアプローチではなく「知覚情報の質」すなわち「クオリア」に関する研究が進んできているので、デザイン領域からの情報へのアクセスポイントと、科学領域からのアクセスポイントがむしろ近似してきている。しかしながら、「質」の差異をコントロールすることで「感動」や「効率」を生み出す技量に関してはデザイナーに一日の長があるはずだ。デザイナーの知性とはまさにこの点において情報を評価・ハンドリングできる技量であり、「情報の質」を制御することで生まれてくる力を見極める目である。

情報の美へ

デザイナーが情報に関与するポイントは「質」である。そういう観点から会議のテーマを「情報の美」とした。「情報」も「美」も定義しにくい言葉である。しかしそれを承知の上で、あえて「情報」に「美」という概念を組み合せてみた。テーマの役割は何かを定義することではなく旺盛な思索を発生させる触媒としてのふるまいである。「情報の美」というテーマはそういう意味で新鮮なイメージの喚起力があると判断したわけである。ただし、やみくもに「情報の美」を仰ぎ見るだけではそこに辿り着くことはできない。エベレストの頂上に辿り着くにも登山ルートという道程がある。そこで僕たちは「情報の美」という頂上へのアクセス・ルートとして次の三つの道筋を設定することにした。

それは「分かりやすさ」「独創性」「笑い」という三つのルートである。

分かりやすさ

「分かりやすさ」というのは情報の質の基本であろう。仮に情報の内容にとても重要な価値があったとしても、それが理解されにくい形になっていたとしたら、それは質の高い情報とは言えない。デザイナーの仕事のひとつは情報の核心を誰もが摂取しやすい状態にやさしく整理整頓することである。「分かりやすさ」という条件をクリアするためには「分かる」ということや「分かっている」ということ、そして「分かっていない」ということなどについて理解し、「分かる」を実現させるプロセスを沈着冷静に構築していく能力が必要である。これは情報に質をもたらす重要なポイントである。

独創性

「独創性」というのは、いまだかつて誰もやっていない斬新な方法で情報を表現することである。情報が分かりやすいことは必要だが、分かりやすいだけでは人の意識にアピールしない。オリジナリティのある表現が情報に付与されていることで、人はそれに興味を示し、感動し、またその情報を尊重する。これは難しく考えることではない。元来、デザイナーはこの部分で情報の質に貢献してきたと考えられるからである。

笑い

笑いとは、極めて精度の高い「理解」が成立している状態を表している。内容を理解していないで人は笑わない。内容を把握するだけではなく、それをさらに別の角度から鑑賞する余裕を持ったときにはじめて笑いが発生する。たとえばパロディを想像していただきたい。パロディはある事柄や人物に対する一種の批評であるが、そこに笑いが発生しているという事実は、その批評そのものが既に深い理解に達しているということの証拠である。落語や風刺漫画にしても同じだが、通常のコミュニケーションの手段としても「笑い」を用いている人々は、情報の使い手としてはかなりの上級者だということになるはずである。

もちろん「情報の美」に到達する道筋はこの三つ以外にもいくらでも考えることはできるだろう。また、この三つはいわゆる「答え」のようなものではない。これらが情報の美を支える三元素のようなものであると考えられても困る。これはあくまで架空のアクセス・ルートであり、デザイン分野を越えてできるだけ多くの方角から「情報の美」へと参加者を迎え入れるために、どんな風向きにも対応できるように角度を変えて設置した三つの滑走路のようなものである。できるかぎり多様な文化背景を持った人々の視点、あるいは生命科学者や宇宙飛行士、狂言師や落語家などといった多様なジャンルの視点を集め、そういう着眼から情報の質を捉えたい。それがこの会議を企画したデザイナーたちの考えである。コミュニケーション・デザインはテクノロジーとともに進化するが、同時に思想の裾野も大きく拡大していかなくてはいけないのである。

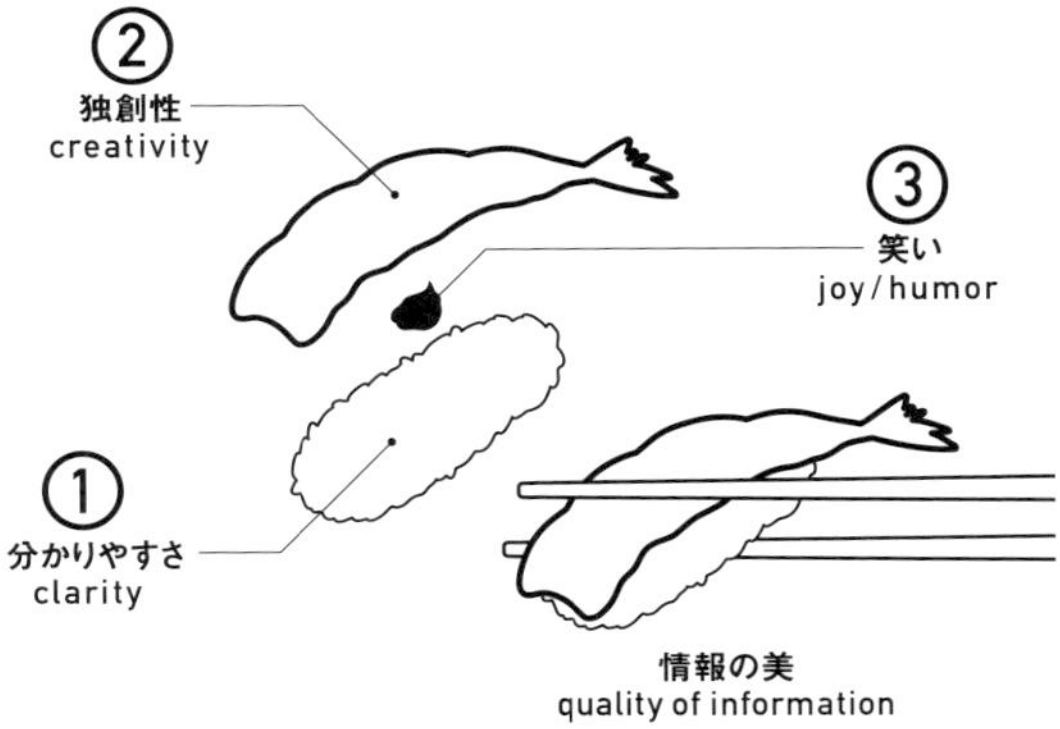

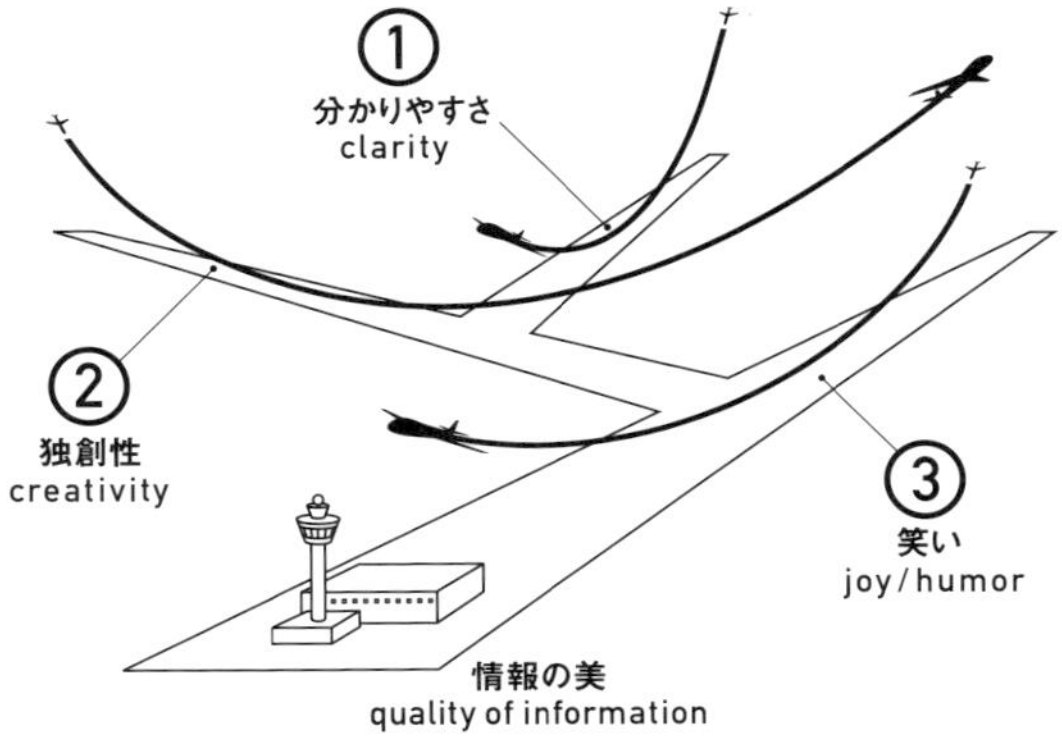

生命科学と美

ところで、情報社会に優れたモデルを提供するものとして「生命」システムが話題に上るようになった。生命科学が解明しつつあるシステムは、極めて高度に発達した情報の生成と伝達のシステムである。生命とは何かということについてはまだ明確な定義はできないものの、生命体とは情報を複製し、受け継ぎ、そして保存するための驚くべきシステムであるということが解明されつつある。おそらくは、巨視的に見た持続可能な人類社会の活動は、存続していくひとつの生命体のようなものなのだろうと想像される。高度化するコンピュータ社会や電子メディアの進化は人間社会の営みをますます生命のそれに近似させていくことになるのではないか。生命や自然がある形質として形成されていくときの秩序のダイナミズムをバイタル・ビューティと呼ぶらしいが、生命科学によって解明された生命の秩序のようなものが、高度情報化社会に良質なモデルを提供するようになると考えられはじめている。立花隆が指摘するとおり、二一世紀は生命科学と情報技術がリードする時代なのだろう。

情緒的な表現を恐れずに言うならば、生命は美と深く関係しているように見える。生命の誕生以来、生命の活動すなわち情報の生成と伝達そして保存の膨大な反復は、生命を実に様々な形へと進化させてきた。そこに立ちあらわれてきた形質が、おそらくは情報の最適な形、すなわち「情報の美」を考える上でとても貴重な示唆を与えてくれるのではないかと考えられる。

一匹のイカは生命であり、これはおびただしい情報の集積体である。海中に遊泳するその半透明の生命を眺めると不思議な感慨が湧き起こってくる。思わず神秘的という形容を用いたくなる。しかしその感動は、イカという単体のフォルムが誘発する感動ではない。イカという生命はそれが接する環境や他の生命と緊密に関係している。だからイカを見ている僕らはそこにすべての生命や環境との連関を見ている。さらに時間を軸に見はるかしていくならば、太古から未来へとイカのＤＮＡが連綿と受け継いでゆく情報の遠大な流れのようなものもそこに感じとることができる。イカは世界とのあらゆる関係性を一身に集約して遊泳している。膨大な生命プロセスの反復がイカの形質として結実している。その形質に「美」と呼ぶべき輝きが感じられるとするならば、その理由はそれが生命や環境との遠大な連鎖を絶妙にバランスし集約しているからではないだろうか。

植物は生殖のために何億年もかけて「花」という形質を生み出したが、それを見る者に特殊な心象を誘発する「花」という形質がなぜあのように、しかも多様に存在するのか。珊瑚虫の死骸が一〇〇年、一〇〇〇年と堆積して珊瑚礁を生み、その礁湖に群れる魚たちの体表にはめくるめく色彩が紋様を織りなす。珊瑚が織りなす精緻な造形の意味は何か。魚の体表にあらわれる紋様の意味は何か。蝶の羽は撩乱たるパターンを宿すが、それはなぜなのか。無数の魚群は群体として緻密に制御されたパターンを俊敏に描き出すが、このパターンは単に群体の移動に過ぎないのか、あるいはなんらかのメッセージを持つ視覚的なパフォーマンスなのか。それら森羅万象の造形の根拠も、おそらくは他のあらゆる生命や環境との絶妙な均衡の中にある。

感想の域をでないが、このような生命というものに僕らは「情報の美」のヒントを探ることができるかもしれない。考えてみると現代の芸術は「美」を扱わなくなってすでに久しい。情報の形成に「美」という観点を持とうとするならば、おそらくは現代の芸術とは異なる価値体系の中にそれが基礎づけられることになるだろう。テクノロジーが生起させた新しい美の問題が「情報の質」の問題であることは、美を模索する思考が生命秩序のしくみへと接近していく道筋を暗示していないだろうか。もちろんこれは、盲目的に自然を美化する自然崇拝を提唱しているわけではない。情報の美を考えていくひとつの道筋として生命科学と連繫した視点があるかもしれないということをお話している。おそらくはこうした視点が情報の質を考える上でのひとつの思考の潮流になっていくのではないか。この会議がその予兆となれば幸いである。

情報とデザインをめぐる三つの概念

さて、最後にいくつかの言葉を整理しておきたい。「コミュニケーション・デザイン」そして「ヴィジュアル・コミュニケーション・デザイン」さらには「グラフィックデザイン」という言葉をここでは状況に応じて使い分けてきた。この三つの言葉は似たような内容をさしているのであるが、微妙に意味が異なる。

コミュニケーション・デザイン

コミュニケーション・デザインというのは、最も広義に解釈した情報デザインの捉え方である。先に述べたように生命活動もコミュニケーションの概念で捉えることもできるわけであり、情報テクノロジー全般も基本的にはコミュニケーションの概念で捉えることができる。コミュニケーション・デザインは、デザインの領域を他のコミュニケーション領域との比較や類推で捉えるとき、その発想を飛躍的に広げてくれる概念である。この言葉を用いて世界を眺めると、僕らは非常に広大な領域を見渡す視点に立つことができる。さらには、ひとつのコミュニケーション系と他のコミュニケーション系を連繋するインター・コミュニケーションという概念も今日では重要である。そういう意味において、ヴィジュアルもグラフィックも大きくはこの概念に包摂される。

ヴィジュアル・コミュニケーション・デザイン

ヴィジュアル・コミュニケーション・デザインは直訳すると「視覚伝達デザイン」であり、視覚領域のデザインを言う。しかし基本的にはあらゆるデザイン領域が視覚的な側面を持つわけであるから、狭義な意味でヴィジュアル・コミュニケーションという分野が独立するためには、さらに明解な対象領域の特定が必要になり、その対象は視覚を前提に運用される諸記号に絞られる。一般的には視覚言語という言葉で表現される内容である。「言語」の視覚形としての「文字」はこの領域の対象であるが、ヴィジュアル・コミュニケーションが言語に関与するポイントは言語性そのものではなく文字の視覚性が発する別の意味体系を扱う「タイポグラフィ」あるいは「コンクリートポエトリー」のようなものになる。写真や映像のような言語的な体系を持たないものの意味作用や「意味の視覚的な短縮ダイアル」として機能するピクトグラムやサインシステム、あるいはシンボルの効果的な運用を基本としたヴィジュアル・アイデンティフィケーションなども狭義のヴィジュアル・コミュニケーションの領域に含まれる。それらは、視覚の伝達効率を前提とした多くの実践的な成果をもたらしてきた。

一方で広義にこれを解釈するとヴィジュアル・コミュニケーションが扱うものは必ずしも視覚的なものだけではない。第三章でも述べたが、視覚の中にも他の感覚が含まれる限り、それは人間のセンサーで感知できる全てのものがそこに含まれることになる。したがって、新たなテクノロジーとの関連で広くこの分野を捉えるとするならば、それはコンピュータをツールとした狭い意味でのヴィジュアル・デザインを意味するものではなく、コンピュータや情報テクノロジーによって拡大していく視覚性を通じて、人間がその身体性や感覚をどこまで拡張できるかという観点を扱う世界であるとも考えられる。情報を視覚的に制御することによって発生する力の様相を探究し、その成果を情報伝達の質の向上のために運用していこうという視点が、広義のヴィジュアル・コミュニケーション・デザインであろう。

グラフィックデザイン

それではグラフィックデザインとは何か。graphicとは、直訳すると「絵のような」という意味であるが「絵」という概念を今日的に捉え直すとするならばそれは「図」と呼んだ方が的確かもしれない。「図」とは「地」に対する概念。すなわち無意味なカオスとしての背景から立ち上がる「意味のある形質」のことである。カオスとは放映時間外のテレビモニターにあらわれるホワイトノイズのようなものか、あるいは様々な情報がノイズのように飛び交う情報の海もまたカオスである。その中から意味のある形質が立ち上がってくる。それが図である。この図は、人類の歴史の長きにわたってもっぱら紙の上に展開されてきたために、グラフィックデザインとは、紙と印刷を扱う領域だと考えられてきた。事実、グラフィックデザインは紙と印刷の領域において膨大な実績を残してきた。しかしテクノロジーの進化にともなって、モニタースクリーンをはじめ、あらゆる場所に図は立ち上がるようになった。したがって「図」すなわち「意味のあるフィギュア」を扱ってきた職能や技能はあらゆるメディアに拡大されていくはずである。すでにお気づきかもしれないが「図」とは「情報」という概念に読み替えることもできる。情報とはノイズの海から立ち上がる意味としての図である。したがって「情報の美」とはまさにグラフィックデザイナーの究極のテーマに他ならない。

僕たちは自分たちの職能を「グラフィックデザイナー」と称してきた。しかし今日の状況を前にしてこの呼称が自身の活動の実体とそぐわなくなってきたという違和感を持つデザイナーも少なくないはずである。しかしながら「グラフィックデザイナー」という名称を脱ぎ捨てて他の名称、たとえば「インターディシプリナリー・デザイナー」などに切り替えるという発想もしっくりこない。新しい名称はひととき新しい何かを捉えているかもしれないが、時代のうつろいとともに色褪せてしまいそうである。軽々と何かを捨て去って何かに乗り換える行為は軽率である。テクノロジーの進展によって、グラフィックデザイナーの活動領域や内容が変化するならば、その活動を通して「グラフィックデザイン」の意味を刷新していくことがむしろ望ましい。つまり自分たちの活動を通してグラフィックデザインを生まれ変わらせていけばいい。世界グラフィックデザイン会議はその契機なのである。

語るべき内容に応じて「コミュニケーション」や「ヴィジュアル」という言葉や概念は使い分けられていくのだろうが「グラフィックデザイン」という言葉を過去のものにしないで、その内容を進化させることが重要である。それは同時に「グラフィックデザイナー」自身の進化を意味するのである。

VISUALOGUE

話のしめくくりに、世界グラフィックデザイン会議のもうひとつの重要な側面について記しておきたい。「情報の美」は討議のテーマであるが、会議という方法そのものをコミュニケーションの視点からリ・デザインしてみようという試みが、この会議の実践面でのテーマとして設定されている。会議というのは複数の人々が集まって創造的な討議を行うことである。イベントとしての会議はその討論を聴衆が視聴するというものであるが、これはおおむねパネルディスカッションのようなお決まりの方法で行われることが多い。数人のパネリストが壇上に並んで討議するという方法は、討議者も聴衆も、それなりにスリリングな討論を体験できるしくみとしてはよくできている。しかしこれ以外にも、創造的な討議の方法はいくらでも考案することができるはずである。

今日、映像のプレゼンテーションはテクノロジーの進歩と相まって非常に充実してきている。これを、グラフィックデザイン会議らしい探究心で新たに考案し、効果的に運用することで、全く新しい会議の状況を生み出すことができるはずだ。つまり「情報の美」の一側面を会議そのものの形として体現してみたいと考えているのである。この試みを僕たちは「VISUALOGUE」と称することにした。これは「VISUAL」（視覚的な）と「DIALOGUE」（対話）を合せた造語で「新しい対話の形」という意味を持たせている。新しいテクノロジーを用いながらも、できるだけストレスのない「VISUALOGUE」が実現できたらと期待している。

徒歩で再び歩き出す世代に

この計画の骨格をつくったのは、戦後の日本のグラフィックデザイナーの系譜で言うと第五の世代のデザイナーたちである。つまり戦後の第一世代がその基礎を築いてのち、脈々と世代を重ね、僕らは五番目のグループになるようだ。これらの世代相互の関係はこんなふうにたとえられている。まず、第一世代が苦労してつるはしで道路をつくり、第二世代がそれをロードローラーでならして舗装し、第三世代はそこをスポーツカーで快走した。これは第一世代の亀倉雄策が、第三世代の石岡瑛子らの奔放な活躍ぶりを評したものである。グラフィックデザインという概念すらなかった世の中で、この領域を確立した第一世代のエネルギーは相当のものであったろう。そういう世代からみて、経済最盛期の日本を迷いなく謳歌する第三世代のデザイナーたちの活躍はさぞ眩しすぎて見えたに違いない。しかし時代はさらに続くのである。道路の話を私見で続けさせてもらうとするならば、第四の世代はクルマですっかり混みはじめた道路をオートバイでジグザグに疾走するか、自転車で爽やかに走り抜けた。そして第五の世代は、もはや渋滞しきった道路を進むことを断念し、再び徒歩にもどって野原を歩きはじめているという感じだろうか。まあ、世代論というのはおおむね第三世代あたりを評するのがリアリティを持つのであり、五番目以降になるともう年輪のようなものが刻まれるだけで、一つひとつの層の意味が希薄になる。さらに言えば五番目くらいになると、むしろ自らの活動をオリジナルとして位置付け直すような新たなムーブメントが発生していくのかもしれない。

日本のグラフィックデザインはやはり日本の経済と深く関係しており、神話的な経済成長の絶頂期である一九六四年の東京オリンピックや、七〇年の大阪万博、そしてジャパン・アズ・ナンバーワンといわれた八〇年代の日本と関わったデザインはやはりひとつの道を疾走した一連のデザインの軌跡であるといっていい。しかし世界の新しいバランスの中で、新たな世紀を迎えた今日、僕たちは先輩たちと同じ道を歩んでいるとは言いがたい。

誤解を恐れずに言えば、グラフィックデザインの世界はある意味で非常によく統治されてきた。先輩デザイナーたちはしっかりとした職能の組織をつくり、個性的で自己主張の強いデザイナーたちをまとめ、一方ではその職能の実力を社会に上手にアピールしてきた。オリンピックや万博などの国家イベントはグラフィックデザイナーの存在意義を世に認知させる契機として活用され尊敬すべき成果を上げた。また、新人賞など、新しい才能を発掘し世に出していく制度も整えて、新しい才能は先人の存在に埋もれることなく発見され続けてきたと言えるだろう。広告代理店などの力に制御され、派閥に分割されているようなデザインの世界もあることを想起するならば、デザイナーが独自にデザインの質や才能を評価しあえる環境を持っていたという点に関しては、健全であったと評価していいはずだ。そういうよくできたシステムが、日本のグラフィックデザイナーのきれいな世代層を形成してきた背景となっている。しかしながら、先ほどの道路のたとえで言うならば、第二世代以下のグラフィックデザイナーたちは少なくとも先達の道を辿ってきたわけであり、そこを爽快に走ろうが、不良っぽく走ろうが、逸脱を意図しようが結局は同じこと。つまり出来上がった一本の道に依拠して進んできたことには違いない。ところが世界の方はそういうグラフィックデザイナーの世代変化などよりも一層、大きな運動と変容を見せている。僕らは先人たちの発見した道に依存してそれに反抗したり逸脱を試みたりしている場合ではない。新しい状況に向き合うデザインとその思想を、異なる次元で発見していかなくてはならないのだ。この会議を計画したデザイナーたちは第五の世代として日本のグラフィックデザインの伝統を引き受ける存在であるだけではなく、同時に、全く新しい光に向かって歩き出す一群でもあるのだ。

あとがき

　この本を書くように勧められたのは、四年前のことである。もの書きの友人原田宗典の絵本を手がけたのが発端である。作家本人が描いた絵を僕が造本やレイアウトを担当して『百人の王様わがまま王』という絵本を作った。そのとき、ある事情で僕はデザインというものの意味を編集者に対して少しだけ主張した。

　原田宗典の絵はこう言ってはなんだが、よく描けていた。だから活かし方によっては絵本として十分魅力的に機能する。ただ、書籍の見開きという空間の中で「絵」は、それが置かれる位置や間のとり方ひとつで、ぽっと灯りがともるようにテキストと融合したり、逆に余計なイメージを与えてテキストを台なしにしたりする。そういう絵の力を読み解き、バランスさせ建築していく作業がレイアウトなのだ。

　原田は絵のレイアウトに関しては全面的に僕に任せるという。場合によっては絵を切って組み合わせたりしても構わないと言う。これは僕に対する密やかな遠慮と気づかい、そして信頼の表明でもあろう。ところが僕にとっては困惑の事態である。「好きに料理してくれていいよ」というのはおおいなる自由を与えてもらっているようだが、そうではない。

立場を換えるとこういうことだ。僕が詩のようなものをどっさりと書く。ダメな言葉も多いかもしれないが、配置によっては光る言葉もあるかもしれない。それを詩人に渡して、文を入れ替えたり途中で切って繋いだりしてもいいから、いい詩集にしてほしいと頼むのである。おそらく詩人は困惑するだろう。あるいは何も言わないでそれを見事に果たし、その見事なできばえで僕を赤面させるだろうか。

原田はものをつくる人間なのでそういうところの勘はいい。だから絵本が完成した果てには必ずそれに気づく。したがって野暮な話はしなくてもいいのであるが、編集者にはその作業が通常のレイアウトとは少し意味が違うのだということを最初から正確に知っておいてもらった方がいい。そう考えて編集担当の坂本政謙に、その絵本で果たすデザインの役割を説明した。それが発端で、デザインとは世の中のどういう局面で機能し、どういう価値を生み出すものであるかについて少し話をふくらませたかもしれない。社会の中でも絵本の中でもデザインの本質は変わらないし果たす役割も似たようなものだ。しばらくして本を書かないかという誘いをもらった。編集者もずいぶんと勘がよかった。

本格的にこの本を意識して文章を書きはじめたのは一年半程前である。自分としては与えられたチャンスを活かしたかったがなかなか時間が見出せない。連載エッセイのようなものであれば締め切りに幾度となく滑り込んでいるうちに不思議と分量がたまるのであるが、書き下ろしのデザイン論となると全く勝手が違う。着手するまでに相当に時間がかかってしまった。一部の原稿は、必ずしも純然たる書き下ろしではない。第二章の「リ・デザイン――日常の二一世紀」は慶應義塾大学の講座「デザイン言語」での講義をもとに、既に同名の書籍の中におさめられていたものを加筆修正したものである。また第四章の最後「ロケーション――地平線を探して」の文章は朝日新聞の「街日和」という欄に掲載されたものを転用している。

この本はデザイン関係者だけではなく、一般の方々に読んでいただけるように書いたつもりである。本書でも述べたが、少しでも多くの人にデザインに対する意識を持ってもらえたなら、それはデザインにとってありがたいことである。そういうコミュニケーションもデザインなのだ。

他方では、デザインに興味がありその入り口に佇んで中の様子をうかがっている人たちにもぜひ読んでほしい。デザインという世界は一見つかみがたいところがあって、流行やトレンドとともにふわふわと社会の中を漂っているように思われているふしがある。だから興味があっても、自分の一生を賭して入っていく世界ではないと考えられているのではないか。デザインの世界はちゃんと地面に足をつけて歩いてゆける世界である。興味を持ったら、しっかりと地面を踏み締めて入ってきてほしい。また、大学で学生と接するようになって感じるのだが、感覚としてのデザインではなく、言語としてのデザインに対する欲求も少なくはない。デザインはとてもデリケートな感覚を扱う。だからこそ、そういう繊細さを他者に伝えられ、共有できる言語が必要なのだ。この本がそういうデザインの言葉に耳を澄ます人たちと交感できるきっかけになればと思う。

いつの間にか自分を「デザイナー」であると思うようになった。この仕事を始めた二〇年程前はそうではなかった。自分は職業としてのデザインを行っているが「デザイナー」ではなくもう少し別のものである。そういう気持ちがあった。そう考える背景には、社会通念としてのデザイナーのイメージ、すなわち表現に対して優れた才能を持つアーティストではなく「デザインという概念をたずさえて生きる人」というイメージを自分のどこかに持っていたからだろう。そのあたりの気分を以前こんなふうに書いた。「僕はデザイナーであるが、この『ナー』の部分は優れた資質があるという意味ではなく、デザインという概念に『奉仕する人』という意味である。ちょうど庭師をガードナーと呼ぶように、デザインの庭を掃いたり手入れをしたりする人」。要するにアーティストとかクリエーターという存在に対して一定のスタンスを持つことで自分のペースでデザインとつきあえそうな気がしたのである。

今ではアーティストとしての自身も、研究者としての自身も含めて自分は「デザイナー」だと認識している。デザインという概念をたずさえて生きるうちに、いろいろなものがそこに包含できるようになった。文章を書く行為もまたそこに入るだろう。

日本デザインセンターに「原デザイン研究所」を設立して一一年が経過した。「研究所」などと称しているがここが僕の仕事場である。考え方を共有できるスタッフと共に自分に依頼されたデザインをこつこつと実践する場所である。当初はあり余る時間の中で、架空のデザインプロジェクトをシミュレーションしてはデザイン誌に発表したりしていたが、今ではそういう時間もなくなってしまった。庭師のように植物の成長を見守りつつ粛々と仕事をするどころではない。玉を空中に次々に放り投げて回転させる大道芸人をジャグラーというらしいが、どちらかといえばそういう感じの日々が続いている。数を数えたりはしていないが、少なからぬ玉がいつも空中に浮いている。その時代の速度や密度の中に身を置かないと見えてこないものもあり、複数のサブジェクトを同時に視野に入れることでようやく感じ取れる世界の動きもある。あわただしい局面に向き合っていくことはデザイナーの宿命でもある。スタッフはそういうきびしい時間を共に過ごしてくれている。この人たちがあってはじめて仕事も書籍も出来上がる。彼らにはここでお礼を言っておきたい。特に研究所のはじまりから在籍し、ずっと側で仕事を支えてくれている井上幸恵にはあらためて感謝をしたい。あなたのおかげで原デザイン研究所はどうにか成り立っている。

岩波書店の坂本氏には、この本を書く機会を作っていただいただけではなく、最後まで叱咤し続けていただいた点でもお世話になった。電話をもらう度にまだ着手できない状況を詫びつつ、そろそろ見限られるだろうと諦めかけたことが何度かあったが、デザインをもう少し広い社会に紹介したいという氏の言葉にそのつど力をいただいた。あらためて感謝の意を表したい。そして最後に、デザインにばかり向き合っている自分を背後で支えてくれる妻に感謝の意を記しておきたい。

二〇〇三年九月

原研哉

原 研哉
1958年生まれ．グラフィックデザイナー．日本デザインセンター代表取締役社長．武蔵野美術大学教授．
「RE-DESIGN」をはじめ「JAPAN CAR」「HOUSE VISION」など既存の価値観を更新する展覧会を内外で多数開催している．長野オリンピックの開・閉会式プログラムや愛知万博では日本文化に深く根ざしたデザインを実践．2002年より無印良品のアートディレクターをつとめ，松屋銀座，森ビル，蔦屋書店，GINZA SIX，ミキモト，ヤマト運輸など，その活動は領域を問わない．08-09年，北京・上海で大規模な個展を開催．16年，ミラノ・トリエンナーレで，アンドレア・ブランツィと「新・先史時代」展を開催．また外務省「JAPAN HOUSE」で総合プロデューサーをつとめた．19年，ウェブサイト「低空飛行――High Resolution Tour」を立ち上げ，観光分野に新次元のアプローチを試みる．講談社出版文化賞，原弘賞，亀倉雄策賞，日本文化デザイン賞のほか，本書でサントリー学芸賞受賞．著書として，『DESIGNING DESIGN』『日本のデザイン』『白』『白百』『低空飛行』などがある．

デザインのデザイン

2003年10月21日　第1刷発行
2025年4月4日　第37刷発行

著　者　原《はら》 研《けん》哉《や》

発行者　坂本政謙

発行所　株式会社 岩波書店
〒101-8002 東京都千代田区一ツ橋2-5-5
電話案内 03-5210-4000
https://www.iwanami.co.jp/

印刷・精興社　製本・牧製本

ISBN978-4-00-024005-5　Printed in Japan

低空飛行 この国のかたちへ 原研哉 四六判二三六頁 定価二五三〇円

日本のデザイン ―美意識がつくる未来― 原研哉 岩波新書 定価一〇一二円

デザインのデザイン Special Edition 原研哉 B5変四七〇頁 定価八一四〇円

負ける建築 隈研吾 岩波現代文庫 定価一二五四円

日本の建築 隈研吾 岩波新書 定価一〇五六円

岩波書店刊
定価は消費税10%込です
2025年4月現在